La Fissure

Jean-Paul Didierlaurent

La Fissure

Du même auteur au Diable vauvert

LE LISEUR DU 6H27, roman, 2014
MACADAM, nouvelles, 2015
LE RESTE DE LEUR VIE, roman, 2016

ISBN : 979-10-307-0172-2

Au diable vauvert
La Laune 30600 Vauvert

www.audiable.com
contact@audiable.com

Depuis près d'une heure, le tatoueur répétait les mêmes gestes avec la précision d'un métronome. Tremper le peigne dans l'encre noire, appliquer les dents sur l'avant-bras de l'homme, frapper à l'aide du bâton une série de coups secs, bois contre ivoire, de manière à faire pénétrer le liquide d'ombre sous la peau claire. À intervalles réguliers, l'assistant tamponnait l'épiderme avec son chiffon. Sang et encre mêlés constellaient l'étoffe de taches sombres. Allongé torse nu sur la natte, l'homme suait à grosses gouttes. Le feu invisible dévorait son bras, le consumait au cœur de l'os. Malgré la douleur, il trouva la force de sourire à la jeune femme agenouillée à sa gauche. Elle lui rendit son sourire et saisit sa main. Pendant un court moment, sa paume aspira les morsures du peigne. L'homme releva la tête et contempla l'avancée du tatouage. Un premier entrelacs de lignes sombres serpentait sur sa peau du coude au biceps. Il lui semblait que les souvenirs s'estompaient alors que le dessin prenait forme. Il ferma les yeux. Les dernières images de sa vie d'avant s'échappaient sans qu'il cherche à les retenir.

1

Dans l'art du bûcheronnage, le cran de chute est l'entaille en v pratiquée sur le fût d'un arbre pour définir la trajectoire de son abattage. Même infime, ce cran oriente l'effondrement du tronc en déséquilibrant l'ensemble du côté souhaité. Mettre à bas un géant vert sans effectuer cet acte préliminaire peut s'avérer des plus périlleux. Régulièrement, des bûcherons du dimanche dont l'ignorance égale la bêtise s'y essaient, avec les risques que cela comporte et des résultats à l'opposé de leur ambition première. Ainsi tronçonné, l'arbre, lorsqu'il ne se contente pas de rester cramponné de toutes ses branches à ses compagnons, peut osciller longtemps avant de choisir de son propre gré l'endroit de son effondrement qui peut se solder par l'aplatissement d'un véhicule, l'écrasement d'un hangar ou la pulvérisation de la véranda du voisin avec pour seule compensation un passage éclair dans Vidéo Gag à condition que le beau-frère chargé de la caméra n'ait pas oublié d'appuyer sur le bouton marche au moment de l'accident, quand l'entreprise ne s'achève pas tout simplement par l'écrabouillement du tronçonneur novice et de son engin pétaradant.

Comme les arbres, les êtres humains ont besoin d'un cran de chute pour que s'engage le processus d'effondrement. Il peut se présenter sous différentes formes, grossières ou non, provoquées ou pas, parfois violentes, souvent imprévisibles. Un décès inattendu dans l'entourage, une grossesse non désirée, l'apparition d'une tumeur minuscule au cœur d'un sein, un coup de canif dans le contrat de mariage, une lettre de licenciement dans le courrier du jour, un accident sur la route des vacances, une facture de trop, autant de gouttes susceptibles de faire déborder le vase. Il peut toutefois prendre une apparence plus subtile et se montrer d'une inoffensive banalité.

Celui de Xavier Barthoux lui fut révélé en un beau samedi matin ensoleillé de juillet, tandis qu'il prenait son petit-déjeuner sur la terrasse de sa maison de campagne en compagnie de sa tendre moitié. La journée s'annonçait des plus radieuses. D'abord réveillé par le gazouillis des oiseaux, Xavier avait contemplé du fond de son lit les rayons du soleil filtrés par les persiennes découper sur le parquet de chêne de belles tranches de lumière vive. Il avait savouré l'eau de la douche ruisselant sur son corps plus que de raison. Le miroir embué de la salle de bain lui avait épargné la vision du mauvais bourrelet qui bardait sa taille de quinquagénaire. Essuyant la glace à hauteur de visage, il avait lissé avec satisfaction sa moustache et souri à son reflet. De faux airs de Stacy Keach, répétait sa femme. L'air au-dehors était d'une limpidité exceptionnelle et la température, entre la fraîcheur de la nuit et la chaleur du jour, douce à souhait. Le contact du dallage de la terrasse sous la plante de ses pieds, les effluves qui fumaient du bol de café, le journal encore prisonnier de son ruban, le carillon de l'église qui égrenait joyeusement huit heures, chaque chose en ce début de journée œuvrait à son bien-être. Fait suffisamment rare pour être souligné, il était parvenu à beurrer ses biscottes sans en briser une seule. Même Bella, la chienne chihuahua postée à ses pieds dans l'attente d'une obole de son maître, ne perturbait pas l'harmonie générale de ses aboiements aigus et se contentait de lui offrir un regard pissant l'amour. Deux longs jours de farniente entre lectures, siestes, promenades et apéro dînatoire en amoureux, loin de la frénésie de la semaine, du boulot et de ses contraintes. Et tandis que la torpeur de ce début de week-end à la campagne prenait lentement possession de son corps et de son esprit, Xavier Barthoux se dit qu'il était le plus heureux des hommes.

Rien ne serait arrivé s'il s'était contenté de savourer sa félicité en conservant le nez plongé dans son bol, bercé par les halètements de la chienne et la logorrhée matinale de son épouse et s'il n'avait à ce moment-là levé la tête pour contempler le mur qui lui faisait face. Peut-être aurait-il tout simplement suffi que la vigne vierge, cette foutue vigne vierge qui n'en finissait pas d'avaler le crépi de la maison et qu'il lui fallait contenir à grands coups de sécateur deux fois l'an, au printemps et à l'automne, lui cache l'anomalie sous son feuillage fourni pour que rien n'arrive.

Toujours est-il que son regard se posa précisément à l'endroit où la vigne plus clairsemée laissait entrevoir une partie du mur à nu. Xavier s'étouffa et toussa pendant près d'une minute à pleins poumons pour déloger la miette de biscotte que la surprise avait coincée dans le fond de sa gorge. Écarlate, il avala une rasade de jus d'orange pour éteindre l'incendie dans son gosier avant de reporter son attention sur la façade.

— C'est quoi ça ? bredouilla-t-il pour lui-même plus que pour sa femme.

— C'est quoi ça quoi ?

Xavier essuya sa moustache à l'aide de sa serviette, se leva sans quitter la chose des yeux et s'avança jusqu'au mur de verdure, emportant sa chaise sous le regard incrédule de son épouse, suivi comme son ombre par la chienne dont l'arrière-train frétillait d'excitation à la perspective d'une promenade matinale. Il monta sur le siège, écarta le feuillage et colla son nez contre le crépi pour se livrer à un examen méticuleux. Ce qu'il avait aperçu quelques secondes plus tôt n'était peut-être qu'une illusion d'optique, le résultat malencontreux d'un jeu d'ombre et de lumière sur le relief irrégulier du crépi, mais il voulait en avoir le cœur net. Intriguée, Angèle Barthoux née Lacheneuil s'était levée à son tour pour rejoindre son mari.

— Qu'est-ce qu'il y a ?

Ignorant la question de son épouse, il caressa du bout de l'index la surface rugueuse du mur. La pulpe de son doigt vint confirmer ses craintes. Xavier grimaça.

— Eh merde !

Jeté dans un souffle, le mot exprimait tout son désappointement. À la vue de son maître perché sur sa chaise, la chienne sautait sur place en aboyant nerveusement. Face au désarroi soudain de son mari, Angèle répéta sa question.

— Qu'est-ce qu'il y a ?

— Regarde, l'invita-t-il en écartant le feuillage.

— Quoi ?

— Le mur. Qu'est-ce que tu vois sur le mur ?

— Ben, la vigne.

— Oui, la vigne, d'accord tu vois la vigne, concéda-t-il avec indulgence, mais oublie la vigne. Sous la vigne, là, tu vois quoi sous la vigne ?

— Ben le crépi, je vois le crépi.

— Okay, tu vois le crépi, d'accord mais encore ? Qu'est-ce que tu vois sur le crépi ? insista Xavier en posant le doigt sur la lézarde.

Il commençait à perdre patience.

— Fais un effort, Angie.

— Un trait, je vois comme un trait, avança-t-elle en fixant son mari avec anxiété.

— Exact. Sauf que ce n'est pas un trait, chérie. Oh non, ce n'est pas un trait mais une fissure, une saloperie de fissure, rien que ça. Putain, j'le crois pas.

L'usage du gros mot alerta sa femme. Il n'était pas dans les habitudes de Xavier de l'employer, excepté lorsqu'il bricolait ou regardait un match de foot à la télé. Il chaussa les demi-lunes perpétuellement suspendues à son cou pour un examen plus approfondi. La fissure était bien réelle. Une lézarde à peine plus épaisse qu'un cheveu courait sur la façade au-dessus de la porte-fenêtre au niveau du linteau pour disparaître derrière l'entrelacs de branches et de feuilles. Déceler cette fissure sur le mur de sa résidence secondaire à l'aube d'un week-end qui s'annonçait sous les meilleurs auspices, c'était comme découvrir sur un visage d'une beauté sans faille une vilaine cicatrice dissimulée sous le maquillage. En d'autres temps, Xavier Barthoux aurait peut-être accepté sans broncher, se contentant de relativiser la mauvaise surprise pour l'oublier et passer à autre chose, mais en ce magnifique samedi matin de juillet, cette fissure constituait le plus vil des outrages. La maison, cette maison pour laquelle il avait sacrifié sans compter son temps et son argent, le trahissait. Il avait sué sang et eau pour faire de cette ruine une douillette résidence secondaire, investi ses vacances, ses week-ends et une grande partie de leurs économies englouties au fil des cent soixante-huit mensualités nécessaires au remboursement du prêt consenti pour son acquisition. À peine la dernière traite réglée le mois dernier, voilà que la maison lui offrait cette fissure pour tout remerciement. Sa femme interrompit ses réflexions.

— C'est grave ?

Il ricana.

— Si c'est grave ? Ma pauvre chérie, les fissures en maçonnerie, c'est comme les rides chez les humains. L'apparition de la première ne fait qu'annoncer les suivantes.

— Mais qu'est-ce que tu peux faire ?

— Ce que je peux faire ? Déjà commencer par arracher cette vigne, histoire d'y voir un peu plus clair. J'aurais d'ailleurs dû nous débarrasser de cette verrue depuis longtemps. C'est un vrai nid à bestioles.

— Ah non, Xav, pas ma vigne, regimba Angèle Barthoux, soutenue par Bella qui jappa son mécontentement.

Il avait toujours abhorré le diminutif qu'employait son épouse lorsque l'euphorie la gagnait ou qu'elle se voyait contrariée, sans jamais oser lui avouer son aversion.

— C'est elle qui donne son charme à la maison, tu ne peux pas faire ça, insista sa femme. Il y a sûrement un autre moyen de réparer ton mur sans arracher ma vigne.

Ton mur, ma vigne, toujours cette fâcheuse habitude de distribuer des actes de propriété pour chaque chose en y accolant des possessifs. Propension purement capitaliste héritée de son père chéri, songea Xavier. Lorsqu'on a pour géniteur un administrateur de biens dont la religion est le libéralisme et la bible le CAC 40, il n'y a rien d'étonnant à ce qu'on possède un sens aigu du verbe avoir. Ton atelier, ma bibliothèque. Ma cuisine, ta voiture. Mes fleurs, ton jardin. Seul leur fils Axel échappait quelque peu à la règle, étant tour à tour la propriété de chacun au gré des circonstances. Mon fils est bachelier, ton fils a loupé son train. Mon fils s'est mis au piano, ton fils a perdu ses clés. Quant à la fissure qui écorchait ses yeux, Xavier ne douta pas un seul instant qu'elle allait lui revenir de plein droit. Il allait de soi que toute fissure courant sur un mur revenait de plein droit au possesseur dudit mur. Leur résidence secondaire comptait parmi les rares choses pour lesquelles Angèle usait naturellement d'un « notre » commun. L'habillage végétal qui recouvrait le mur nord avait été quatorze ans plus tôt responsable du coup de foudre de son épouse pour la maison. Ils sillonnaient les petites routes des Cévennes lorsqu'à la sortie du village d'Alzon la façade verdoyante leur avait sauté au visage. Un « *à vendre* » à demi délavé par les intempéries s'étalait sur la pancarte suspendue au portail d'entrée. Sous les supplications de sa femme, il avait fait demi-tour et garé la voiture sur le bas-côté. Ils avaient poussé la grille en fer forgé rongée par la rouille et pénétré sur le terrain en friche. Un enchevêtrement de broussailles noyait le sol. Malgré son état de délabrement avancé, la bicoque présentait un cachet certain. Angèle Barthoux s'était approchée de chaque fenêtre accessible pour jeter un œil à l'intérieur, ne tarissant pas d'éloges sur la masure et son fabuleux potentiel. Elle s'y était aussitôt projetée, usant de toute son énergie pour y projeter son époux par la même occasion malgré les tentatives de celui-ci pour réfréner l'enthousiasme de sa moitié.

— Sûrement trop cher.

— On négociera.

— Trop vieux.

— On rafraîchira.

— Trop loin.

— Avec le pont de Millau, ça nous met à moins de trois heures de route de chez nous.

— Tu nous vois venir ici tous les week-ends ?

— Je nous y vois très bien.

— Et ma salle de sport ? Ce n'est pas en semaine que je vais y aller, à ma salle de sport.

— Écoute, du sport, tu pourras aussi bien en faire ici que n'importe où ailleurs.

Ils avaient relevé le numéro de téléphone tracé au bas du panneau d'une main maladroite. Elle avait fait part de ce projet d'acquisition à son père qui lui avait donné, outre une petite avance sur son héritage, sa bénédiction de spécialiste en biens immobiliers. Moins de deux mois plus tard, le couple prenait possession des clés et se lançait à corps perdu dans les travaux. Défrichage, nettoyage, plomberie, isolation, carrelage, réfection de la toiture, remplacement des fenêtres, construction de la terrasse. Au final, Xavier avait éprouvé du plaisir dans l'accomplissement de ce vaste chantier, ressentant même une certaine forme d'addiction envers ces travaux qu'il retrouvait chaque fin de semaine. S'abrutir physiquement tous les week-ends lui permettait de purger son esprit des soucis de la semaine. Finalement, sa femme avait eu raison. Avec la maison, il avait trouvé sa salle de sport, une salle de sport à près de deux cent mille euros le droit d'entrée.

2

Xavier regagna la terre ferme, les yeux toujours rivés sur la fissure. Le jappement aigu de Bella l'arracha à l'état hypnotique dans lequel il était plongé. La dernière fois qu'il avait marché sur le chihuahua, l'incident s'était soldé par une queue meurtrie pour la chienne et les admonestations virulentes de sa femme pour lui. Il porta son regard vers le sol d'où montaient des gémissements déchirants. La patte arrière gauche de l'animal avait accueilli le pied de son maître en émettant un craquement sinistre. Le membre dessinait à présent un drôle d'angle, un angle pas vraiment naturel. Le mur et sa fissure venaient de perdre leur statut de première préoccupation du moment. Les cris hystériques d'Angèle ne tardèrent pas à couvrir les glapissements de Bella.

— Eh merde !

Ce deuxième « Eh merde ! » en moins de cinq minutes fut tout ce qu'il trouva à dire tandis que la chienne rampait sur le dallage de la terrasse en direction de sa maîtresse qui s'agenouilla et la cueillit avec mille précautions avant de l'ausculter. Le pelage parcouru de tremblements, le chihuahua n'émettait plus que de faibles couinements. La patte brisée pendouillait lamentablement sous le regard horrifié de son épouse.

— Mais qu'est-ce que t'as fait ? Mon Dieu mais qu'est-ce que t'as fait ? s'étrangla Angèle en dévisageant son mari avec un mélange d'effroi et de dégoût.

— Faut toujours qu'elle soit fourrée dans nos jambes aussi.

Défense pitoyable, pensa Xavier en prononçant ces mots. C'était cependant l'entière vérité. Lorsqu'elle ne somnolait pas dans son panier, Bella passait le plus clair de son temps à leur coller aux basques, à tournicoter autour de leurs mollets, manquant souvent de les faire trébucher.

— Tu ne pouvais pas faire attention, non ? le réprimanda-t-elle sur le ton d'une mère corrigeant son enfant.

Non, eut-il envie de rétorquer. Pourquoi était-ce toujours à lui de faire attention, de devoir penser à tout, de prévoir l'imprévisible, de tenir ce rôle fatigant de chef de famille attentionné ? Elle aurait très bien pu anticiper l'accident, prendre la chienne avec elle, ne pas la laisser sautiller bêtement au pied de la chaise et l'éloigner préventivement des quatre-vingt-dix kilos de son mari qui, elle aurait dû s'en douter, n'allaient pas manquer à un moment ou à un autre de retrouver le plancher des vaches. Jamais un chat ne se serait laissé marcher dessus de la sorte, pensa Xavier avec amertume. Il avait toujours rêvé d'un chat. Un bon gros minet câlin à souhait, un de ces jouisseurs qui, entre deux grignotages de mulots, viennent se poser sur vos genoux dans l'attente de la caresse. Tigré, noir, blanc, moucheté, de race, de père inconnu, de gouttière, peu lui aurait importé. Juste un chat, pas avare en ronrons et avec suffisamment de fourrure pour pouvoir y plonger les mains.

Huit ans plus tôt, le souhait d'Angèle d'acquérir un chien ne l'avait pas surpris outre mesure. C'était dans l'ordre des choses. Le chien après la résidence secondaire, ça allait de soi. Et après le chien, qu'allait-elle demander pour compléter la panoplie ? Le 4×4 grand luxe, le dernier coupé Mercedes ? Et pourquoi pas le bateau, comme papa Roby qui ne manquait jamais l'occasion de rappeler à qui voulait l'entendre qu'il possédait un anneau à l'année sur le port de Cassis. Angèle lui avait tourné autour pendant tout un week-end en minaudant comme elle savait si bien le faire. « Une chienne, s'il te plaît chéri, une toute petite chienne. » Xavier avait affiché son désaccord, listant les nombreux inconvénients que cette emplette n'allait pas manquer d'entraîner. Il n'avait jamais su dire non à Angèle et ne se faisait aucune illusion sur l'issue de la partie mais ne voulait pas baisser pavillon sans combattre, il en allait de son honneur de mâle dominé. Comme pour la résidence secondaire quelques années plus tôt, le couple s'était lancé dans un combat à fleurets mouchetés. Sa femme avait pulvérisé chacune de ses objections.

— C'est pas propre.

— Ça s'éduque.

— Ça pue.

— Ça se lave.

— Ça va foutre des poils dans toute la maison.

— Pas si on prend une race à poils ras.

— Ça aboie tout le temps.

— Pas si on lui apprend à se taire.

— Faudra l'emmener partout avec nous.

— Si elle est sage et pas encombrante, je ne vois pas où est le problème.

— Beaucoup de restaurants et d'hôtels n'acceptent pas les chiens.

— On fréquentera uniquement ceux qui les tolèrent.

— Le caniche de tes parents va mal le prendre.

— Flocon ne s'en rendra même pas compte. À quatorze ans passés, il ne quitte plus ses coussins que pour faire ses besoins, et encore, pas toujours.

— C'est cher.

— On dira que c'est mon cadeau d'anniversaire et de Noël réunis.

Elle avait consulté les meilleurs sites marchands sur internet avant de porter son choix sur un élevage de chihuahuas du côté de Saint-Étienne. L'opiniâtreté de son épouse avait peu à peu grignoté ses défenses, la vue de la petite chose âgée d'à peine deux mois couchée dans son panier en osier avait balayé ses dernières réticences. Comment ne pas fondre devant deux yeux globuleux emplis de tristesse qui vous fixent avec insistance depuis le fond d'une cage ? Tandis qu'il remplissait le chèque, mille huit cents euros les neuf cents grammes de chihuahua à emporter, il n'avait pu s'empêcher de se faire l'amère réflexion que rapporté au gramme, l'animal coûtait aussi cher qu'un caviar sibérien. Âgée de huit ans, Bella avoisinait à présent les trois kilos, trois kilos qui gémissaient de douleur dans les bras de son épouse affolée.

Le vétérinaire le plus proche se trouvant à plus d'une heure de route du village, Angèle jugea préférable de s'adresser à sa clinique habituelle et parvint sans mal à convaincre son mari de rentrer sur Clermont-Ferrand malgré un temps de trajet beaucoup plus long.

— Je les appellerai depuis la voiture. Bella a toujours été bien soignée là-bas. Elle connaît, elle sera en confiance. Et puis ils sont bons.

Xavier ne voyait pas en quoi le fait de tenir à jour le carnet de vaccination d'un chihuahua en lui injectant sa dose annuelle de médecine permettait de juger des compétences professionnelles d'un vétérinaire mais garda cette remarque pour lui, bien conscient de n'être autorisé pour le moment à émettre aucune réflexion d'aucune sorte. Les bagages chargés à la hâte dans le coffre de la voiture, ils quittèrent Alzon sans même prendre le temps de fermer les volets. La route parut interminable à Xavier qui devait à la fois rouler au plus vite sur les injonctions de sa femme, tout en s'efforçant de limiter les cahots sous peine des remontrances de cette même femme. Jamais il n'avait soupçonné que le revêtement puisse receler autant de trous et de bosses. À chaque secousse, la chienne posée sur les genoux de sa maîtresse émettait des couinements de douleur, suivis systématiquement d'une réprimande de son épouse.

— Fais donc doucement.

Une vingtaine de secousses et de réprimandes plus tard, Angèle finit par sombrer dans un mutisme boudeur après qu'il lui eut expliqué que, vivant sous le régime de la communauté universelle, le volant lui appartenait également de plein droit et qu'elle pouvait en user à tout moment si elle estimait sa conduite par trop déplorable. Xavier sortit un chewing-gum de son étui et le porta à sa bouche pour le malaxer à grands coups de mandibules. La fissure lui avait mis les nerfs en pelote. Quelle taille pouvait-elle faire ? Quelle était son étendue, sa profondeur, son incidence sur la solidité du mur ? La vue de la clinique le tira de ses réflexions. Le jeune homme qui les accueillit n'avait pas atteint la trentaine et flottait dans une blouse deux fois trop grande pour lui. Angèle lui déposa sans attendre la chienne souffreteuse dans les bras.

— Bonjour Éric. On a fait le plus vite possible.

— Ne vous inquiétez pas Madame Barthoux, je vais lui administrer tout de suite un tranquillisant et on va la passer à la radio. Alors ma belle, on t'a fait des misères ?

Xavier reçut ce « on » en pleine face. Nul doute qu'il lui était directement destiné. Au téléphone, Angèle ne s'était pas contentée d'expliquer la patte brisée de

Bella, elle avait narré avec force détails les circonstances du drame. Au regard froid que lui balança le jeune homme, Xavier sut que le type l'avait définitivement rangé dans la catégorie des brutes épaisses tourmenteurs de petite chienne sans défense.

— Ce sont des choses qui arrivent, énonça avec une ironie à peine dissimulée le vétérinaire à l'adresse de l'écrabouilleur de chihuahua.

Il abandonna le couple, le temps d'aller radiographier le membre meurtri. De retour après dix minutes d'une attente interminable, il les invita à le suivre dans son bureau. Scotchée à même la vitre de la fenêtre, s'étalait la radiographie de la patte de Bella. Xavier frissonna. Une lézarde d'une blancheur éclatante zébrait le cliché au milieu d'une grisaille brouillonne. Le jeune homme les fit asseoir avant de leur exposer le résultat de l'examen.

— Comme vous pouvez le voir sur la radio, l'os est brisé longitudinalement. C'est ce trait blanc oblique, là, qui traverse le fémur de part en part. Même si elle peut paraître impressionnante, la fracture est relativement franche et pas trop vilaine. Les dégâts causés auraient pu être d'une tout autre gravité, trouva bon de préciser l'homme de science en clouant du regard Xavier sur sa chaise. Il va toutefois me falloir réduire cette fracture et cela va nécessiter une petite opération.

Tout n'était finalement qu'une histoire de réduction, constata Xavier à deux doigts d'interrompre le praticien pour lui demander s'il ne pouvait pas par la même occasion venir réduire la fissure de sa résidence secondaire. Il étouffa son gloussement sous un semblant de toussotement.

— Ne vous inquiétez pas, Madame Barthoux, tout se passera bien. Je l'opère tout à l'heure, on la garde en observation demain et vous pourrez venir la récupérer dès lundi avec une jolie petite attelle, le temps de reconsolider tout ça. Il faudra cependant compter deux bons mois avant que Bella retrouve pleinement sa mobilité, conclut le jeune véto.

— Je peux la voir ? s'enquit Angèle.

— J'aurais aimé vous répondre par l'affirmative mais pour le moment, il est préférable qu'elle reste au calme. Le sédatif que je viens de lui administrer est en train d'agir et votre présence risque de l'exciter inutilement. Faites-nous confiance Madame Barthoux, on va s'occuper d'elle comme de la prunelle de nos yeux, ajouta le vétérinaire en les raccompagnant vers la sortie.

— Merci Éric, sans vous, je ne sais pas ce qu'on serait devenu.

Un couple sans chien comme des millions d'autres, pensa Xavier exaspéré par le ton empreint de reconnaissance qu'avait employé son épouse.

3

Comme tous les lundis matin, Xavier ressentit un grand vide en pénétrant sur le parking quasi désert de l'entreprise. L'étendue de macadam lui faisait toujours cet effet-là. Un océan mort sans navires. Il n'était pourtant pas mécontent de se couler dans la routine de la semaine. Sa femme et lui avaient passé une fin de week-end abominable dans leur appartement de Clermont. Un dimanche à se regarder en chiens de faïence, chacun à ruminer son amertume, à se recroqueviller sur sa préoccupation, Angèle sur son chihuahua, lui sur sa fissure. Savoir sa maison de campagne sous la menace de cette lézarde à trois heures de route de son domicile le mettait au supplice. Loin de l'éloigner de ses pensées, la distance enracinait sa présence invasive encore plus profondément dans son esprit. Hier, tandis que le générique de fin du film du dimanche soir défilait sur l'écran extra-plat du téléviseur, Xavier avait pris sa décision. Le week-end prochain, avec ou sans l'accord de sa femme, il arracherait la vigne et s'occuperait de cette fissure. Il s'était endormi du sommeil de ceux qui ont repris en mains les rênes de leur destin.

Il gara le break sur l'emplacement réservé au directeur commercial. Le titre ronflant était amplement exagéré et ne reflétait en rien le pathétique d'une situation où, unique représentant de commerce de la maison, il se retrouvait dans les faits directeur commercial de lui-même. L'entreprise florissante qui l'avait embauché dans les années 80 s'était réduite comme une peau de chagrin, tant en hommes qu'en matériel. Côté personnel, ne subsistaient plus que le patron, un chef d'atelier qui faisait surtout office de manutentionnaire, une coloriste et lui-même. Côté bâtiments, une lèpre invisible gangrenait l'endroit. Des toitures fatiguées posées sur des façades sales. La bande de pelouse anémiée qui s'était un temps efforcée de se faire passer pour un gazon anglais finissait d'agoniser sous le soleil matinal. L'ensemble présentait des allures de friche industrielle que les deux ou trois voitures garées sur le parking tentaient de démentir. Sur le fronton, l'inscription « *Maison*

Frachon fondée en 1929 » n'était plus qu'une ombre. Monter une société l'année du grand crack de 1929 n'avait pas empêché celle-ci de prospérer jusqu'à la fin des années 90. Au plus fort de son activité, l'usine employait jusqu'à soixante-dix ouvriers et sortait des fours tournant à plein régime près de trois cents pièces par jour, essentiellement des nains de jardin en terre cuite qui avaient fait la réputation mondiale de la maison. À la mort de Robert Frachon, le fils du fondateur, au début des années 2000, l'entreprise avait été cédée à Argi'Land, un groupe anglais, avant de passer aux mains de la holding américaine Céramix dix ans plus tard. Frachon, un simple paravent derrière lequel ne se fabriquait plus rien et qui ne pesait pas plus lourd qu'une goutte d'eau dans le creux de la main du géant d'outre-atlantique. Toute la production était à présent localisée en Chine, dans la ville de Quanzhou, province du Fujian. Céramique, terre cuite, plâtre mais surtout polyrésine. Seule la peinture des bonnets, des barbes, des cheveux et de quelques rares accessoires se faisait encore sur le site de Clermont. Une finesse stratégique qui permettait à Céramix d'apposer au cul des statuettes la prestigieuse inscription *Sorti des ateliers Frachon*. Sitôt arrachés à leur moule par les menottes expertes des ouvrières chinoises, les nains de jardin, Blanche-Neige et autres angelots quittaient

Quanzhou pour se farcir un périple de près de neuf mille kilomètres, ballottés à travers les océans dans des containers à bord de cargos grands comme plusieurs terrains de foot, puis étaient transportés par camions jusqu'à l'usine clermontoise où ils se faisaient teinter le bonnet, peindre la mise en plis et rafraîchir l'auréole pour avoir l'insigne privilège de se retrouver labellisé Frachon d'un coup de tampon sur le fondement. Des migrants, songea avec amertume Xavier qui n'était jamais parvenu à se faire à ce concept absurde. Ni plus ni moins que des migrants en plâtre, en résine, en terre cuite, en plastoc, venus chercher leur visa d'entrée des mains de la coloriste maison.

La plaque de plexiglas flambant neuf apposée à droite de la porte exhibait un beau logo « *Céramix* » en lettres orange noyées au cœur de la transparence. Une touche de couleur incongrue dans la décrépitude ambiante qui assombrissait un peu plus la grisaille des lieux. Les pas de Xavier résonnèrent sur le béton tandis qu'il traversait l'entrepôt. Il embrassa Marie-Odile déjà en plein travail. La coloriste était tout ce qui restait de l'âme de l'ancienne maison. Petite et boulotte, Mô avait traversé les décennies, vestige imperturbable au milieu de ses nuanciers et de ses pots de peinture. Il aurait été bien incapable de lui donner un âge. Le temps glissait sur elle comme l'eau d'un torrent sur un galet de rivière. Même tablier, même fichu dans les cheveux, quelle que soit l'heure, elle était à son poste, barbouillant du pinceau ou pulvérisant du pistolet à longueur de jours bonnets, barbes et tignasses. Avare de mots, elle limitait les rapports verbaux à leur plus strict minimum. Mô restait et resterait à jamais un mystère, un bouddha au féminin à qui le silence allait plutôt bien. Xavier pressa le pas. La réunion du lundi matin l'attendait. Plus d'une heure enfermé dans le bureau à se pencher sur les chiffres, à faire le débriefing de la semaine écoulée et à discuter des objectifs avec le patron, Hervé Dumoulin, et le chef d'atelier Jean Lhuillier. Parfois, au détour d'une réunion téléphonique, les homologues chinois ou américains apportaient leur grain de sel de l'autre bout de la planète. Des grains de sel *in english, please*, que le trio peinait la plupart du temps à comprendre et qui se dissolvaient dans un dialogue de sourds. Xavier pénétra dans la pièce, serra les mains. La poignée de main du chef d'atelier était molle, celle du directeur ferme et sèche. Tout est dit dans une poignée de mains, songea Xavier tenté de leur demander ce qu'ils pensaient de la sienne. Dumoulin ne perdit pas de temps et démarra la réunion avant même que son directeur commercial se soit servi une tasse de café et assis.

— Comme vous le voyez, les nouvelles BN sont enfin arrivées, annonça-t-il d'entrée en tirant du carton posé à ses pieds une statuette d'une quarantaine de centimètres de haut qu'il déposa sur son bureau. Beaucoup d'attente du côté des clients, le dernier modèle remonte déjà à presque cinq ans. Xavier, comment a été accueillie la maquette de présentation envoyée aux revendeurs ? Vous avez eu des retours ? J'espère qu'on ne va pas se prendre un bouillon comme pour les dernières VM.

Hervé Dumoulin ne savait pas parler autrement qu'en usant et abusant d'abréviations. Chaque fois qu'il le pouvait, il réduisait les mots en sigles, les compactait à loisir. BN pour Blanche-Neige, VM pour Vierge Marie, NDJ pour nain de jardin.

— Accueil plutôt mitigé, répondit Xavier en avalant une première gorgée de café réchauffé. Ils attendent d'avoir un spécimen entre les mains mais la trouvent a priori trop plate par rapport à la précédente. Il fallait s'y attendre. On est passé d'une Blanche-Neige pulpeuse à une Blanche-Neige anorexique, histoire de coller à la mode des mannequins filiformes. D'ici à ce que nos prochains nains nous arrivent bodybuildés avec des tablettes de chocolat en guise de bedaine et des pectoraux de culturistes, y a pas loin !

— Eh bien c'est à vous de convaincre les revendeurs que les gros lolos, c'est fini pour le moment et que le standard actuel, c'est les filles filiformes, que voulez-vous, s'ils ne comprennent pas qu'il faut vivre avec son temps, faudrait peut-être qu'ils changent de métier. Pour la couleur du flot dans les cheveux, Marie-Odile a reçu le cahier des charges et le descriptif, poursuivit le directeur. Elle a déjà peint une première série d'échantillons pour que vous puissiez les emmener avec vous aujourd'hui. Elle traitera le reste au fil des commandes.

Étrangement, le patron qui adorait les abréviations n'avait jamais pu se résoudre à appeler la coloriste Mô.

— Ils veulent du doré, histoire de faire luxe. J'ai émis une réserve mais ils ne veulent rien entendre.

Ils, c'était les Américains. Tout le monde ici employait ce « ils » pour parler de leurs maîtres d'outre-Atlantique. Le chef d'atelier confirma les réserves de son directeur.

— Sur le marché des ricains et des asiates, la clientèle a une fâcheuse tendance à adorer le clinquant, mais chez nous ça risque de faire concurrence avec les VM. On a toujours réservé le doré à l'Immaculée Conception. Et puis le doré n'a jamais bien tenu dans le temps. Il a une fâcheuse tendance à s'écailler au gel. Souvenez-vous des deux cents vierges de Lourdes qui nous sont revenues sur les bras il y a deux ans à Noël. Les pèlerins se retrouvaient avec des paillettes dorées plein les doigts dès qu'ils avaient le malheur de leur tripoter la couronne. Je pense que pour les BN, il aurait été préférable de faire deux séries distinctes, une avec du doré pour les cow-boys et les chinetoques et une autre dans un ton plus classique à base de rouge pour nos clients européens, histoire de pas effrayer la ménagère. Le rouge, le vert, le bleu, toujours s'en tenir aux couleurs fondamentales du métier, je l'ai toujours dit.

— Ils veulent du doré et rien d'autre, ils auront du doré, que voulez-vous que je vous dise ? maugréa Dumoulin. C'est déjà bien qu'ils aient conservé le rouge pour la pomme. Et puis c'est trop tard, vous ne ferez plus sortir de son pot de doré Marie-Odile maintenant qu'elle a commencé sa barbouille. Elle m'a en revanche confié que la nouvelle peinture n'avait rien à voir avec la précédente. Moins souple et de moins bonne qualité. Bon, Xavier, il va falloir mettre le paquet. Vous devez être conscient qu'on attend beaucoup de vous pour ce lancement. Les responsables de Céramix ne m'ont pas caché avoir de grands projets pour Frachon dans les mois à venir, à condition qu'on se montre à la hauteur de leurs ambitions. Vous avez déjà établi le PDT ?

Xavier avait passé une partie de la semaine précédente à boucler le sacro-saint plan de tournée.

— Je m'en suis tenu aux critères habituels. Du plus gros au plus petit pour chaque secteur, comme d'habitude, en travaillant sur une logique géographique pour optimiser les temps de trajet. En serrant au maximum, je devrais pouvoir boucler la tournée en trois semaines. Je commencerai par tout le secteur Nord-Est, Alsace, Lorraine et une partie de la Bourgogne, des régions à gros potentiel. Les chiffres du dernier trimestre montrent une forte croissance des ventes de nains dans ces secteurs et je compte surfer sur la vague pour placer nos Blanche-Neige. Ah, bonne nouvelle concernant les Jardi'Green qu'on avait perdus. Leur nouveau responsable a donné le feu vert pour nous redonner du linéaire dans leurs rayons. Ça pourrait représenter jusqu'à un millier de pièces.

Parfait. Très bien. Je vous ai sorti les chiffres concernant les ventes du 46 qui est en train de confirmer son succès. Il marche très fort. Depuis le temps qu'on dit à ces tordus de créatifs qu'il faut coller à l'actu, la preuve est là.

Chaque nouvelle création de nain de jardin portait un numéro. Le 46 avait été spécialement conçu pour la coupe du monde de football. Bonnet bleu, barbe blanche, veste rouge, en short et avec un ballon au pied. Le summum du mauvais goût aux yeux de Xavier qui n'avait jamais été grand amateur de foot, ni d'ailleurs de nain de jardin.

— Ah, j'allais oublier, dernière chose, Marie-Odile m'a fait part d'un petit problème sur le lot des nouvelles BN qui sont arrivées. Tenez, regardez.

Dumoulin avait saisi la statuette posée sur le bureau pour la remettre à Lhuillier qui la tourna et retourna dans tous les sens avant de porter son attention sur la base de la figurine.

— Ah merde !

— Comme vous dites. Et c'est la même chose sur tous les socles.

Le patron tira une seconde Blanche-Neige du carton et la tendit à son commercial qui procéda au même examen. Xavier crut défaillir en découvrant à son tour la malfaçon.

— Défaut de moule, de matière ou de cuisson m'a dit notre homologue chinois, pas bien compris son charabia, mais ils n'ont pas jugé utile de détruire la série pour relancer une nouvelle production, trop de temps perdu et c'est vrai que le défaut est à peine perceptible à l'œil nu. On fera avec. Et puis ça donne à l'objet une petite touche artisanale, un petit côté fait main qui au final peut plaire. Ça va Xavier ? Vous êtes tout pâle.

— Ça va, ânonna celui-ci, les yeux rivés sur la fêlure qui traversait sur toute sa largeur le socle de la Blanche-Neige qu'il tenait entre les mains.

4

Xavier se lança dans le travail comme on monte à bord d'un vieux rafiot, avec l'espoir de traverser la semaine sans encombre pour aller rallier le week-end suivant. Retourner à Alzon était sa seule préoccupation. Du pain sur la planche l'attendait là-bas, un mur à réparer, de la vigne à arracher, une fissure à colmater, une mission autrement plus urgente que fournir en nains bedonnants et en princesses anorexiques des responsables de jardinerie qu'il connaissait par cœur et qui le connaissaient par cœur. Il était las de parcourir toujours ces mêmes routes, de démarcher les mêmes magasins, de s'attabler dans les mêmes restaurants, d'échouer sa fatigue dans les mêmes chambres d'hôtel. Marre de ces journées qui défilaient en une succession de rendez-vous où se jouait encore et encore une scène identique. Carnet de bons de commande à la main et carton des dernières nouveautés calé sous le bras, aller trouver le responsable du rayon, lui déballer son beau catalogue en papier glacé et débiter un script mille fois éprouvé, le tout avec un enthousiasme feint et un sourire des plus chaleureux. Il avait pourtant aimé cela, voler d'un point de vente à un autre et tout défoncer à coups d'arguments commerciaux imparables. Mais quelque chose s'était brisé en lui. Il n'y était plus, vivait ses entrevues en spectateur de lui-même, et ce qu'il voyait lui déplaisait. Un mauvais bonimenteur, voilà ce à quoi il ressemblait. Un piètre acteur qui balançait sans conviction ses répliques sur les planches d'un théâtre qui à présent l'insupportait. Il tenta de se ressaisir, s'encouragea à voix haute entre deux rendez-vous, songea au montant de sa prime de fin de trimestre en cas d'atteinte des objectifs, en vain. Plus envie de se battre, de rentrer dans la danse cramponné à son barème de tarifs pour discuter les remises sans cesse réclamées par des marchands meilleurs comédiens que lui. Pressé d'en finir, il abdiquait avant même le début des négociations, rognant parfois sa marge jusqu'au dernier centime devant des revendeurs surpris d'obtenir des rabais sans avoir combattu.

Manger au restaurant était devenu un calvaire. Il choisissait les tables isolées, prenait le menu du jour parfois sans même le lire et avalait son plat du bout de la fourchette en parcourant le journal local avec l'idée d'en repartir au plus vite. La semaine précédente, le type venu s'asseoir à sa table, sans doute un confrère, avait tenté d'engager la conversation avec lui. « Vous faites dans quoi ? » « Dans les WC quand il y en a, sinon dans la nature comme tout le monde ! » avait-il répondu sans même lever la tête de son assiette. Le type avait repris son plateau et s'était dirigé à l'autre bout de la salle à la recherche d'une tablée plus accueillante. Il s'en était voulu. S'était détesté même. Ne se reconnaissait plus dans cet homme incapable de tempérer ses propos. Depuis cet incident, il se contentait de sandwichs avalés assis derrière son volant. Avec le temps, la sellerie de la voiture de société s'était avachie, accueillait son corps tel un vieux gant de base-ball sa balle de cuir. Le break était à l'image des ateliers Frachon. Arrivé en fin de vie, il bouffait de l'huile, voyait ses garnitures s'étioler et ses instruments de bord rendre l'âme un à un. Pour couronner le tout, la clim était en panne depuis le début de l'été. Avec la chaleur caniculaire de ces derniers jours, il lui fallait rouler les fenêtres ouvertes. Le vent qui s'engouffrait bruyamment dans l'habitacle l'abrutissait sans parvenir à le rafraîchir. Il arrivait chez les clients la chemise auréolée de traces de sueur, à demi sourd et les joues empourprées. Trois ans qu'il pleurait pour un nouveau véhicule, qu'il demandait à Dumoulin d'appuyer sa demande auprès des hautes instances de Céramix pour que celles-ci exaucent enfin son vœu. Il attendait encore. Cet après-midi, pour la première fois, il se surprit à partager à haute voix ses états d'âme avec les statuettes entreposées sur la banquette arrière.

— Un beau break Audi, le même que beau-papa, qu'est-ce que vous en pensez les filles ? On serait pas bien, dans un beau break Audi tout neuf, avec une vraie clim qui marche et une sono qui crache autre chose que des parasites !

Déverser un peu de son ras-le-bol dans les oreilles de plâtre de la quarantaine de Blanche-Neige le rendit pour un temps étrangement euphorique. Il gagna en fin de journée sa chambre d'hôtel, se rua sous la douche puis rentra les commandes du jour sur son ordinateur. Au moment de se coucher, comme tous les soirs de la semaine, il téléphona à Angèle. Il l'appelait machinalement, comme on se brosse les dents, par habitude, parce que c'était comme ça. Elle parla de tout, de rien, du temps qu'il faisait, de celui qu'il allait faire le lendemain. De Bella qui, ravie d'avoir retrouvé son panier et ses jouets, parvenait malgré son attelle à se balader sur ses trois pattes valides à travers tout l'appartement. De leur fils Axel qui ne rentrait pas ce week-end et restait sur Lyon pour assister à un concert avec des amis. De ses beaux-parents qui les invitaient pour fêter l'anniversaire de sa belle-mère. Elle parla. Lui écouta, un malaise au creux du ventre, effrayé de ne trouver aucun intérêt aux causeries de sa propre femme, de se sentir étranger à la vie qu'elle lui racontait. Il raccrocha et tenta de trouver le sommeil en s'abrutissant d'émissions de télé insipides, perdu dans ce lit deux fois trop grand pour un seul homme. Demain, on était vendredi. Il y avait cette impatience qui cognait à ses oreilles tel un poing sur une peau de tambour, qui colonisait ses jambes de ses escouades de fourmis et faisait bouillonner son sang à l'idée de ce lendemain qui n'en finissait pas d'arriver. Il sourit au plafond. Demain soir, il retrouvait Alzon.

5

Le couple Barthoux se leva tôt en ce dernier samedi matin de juillet. Xavier n'avait même pas pris le temps de tomber la veste en rentrant du travail la veille au soir. Il avait déposé le break sur le parking de l'entreprise et était aussitôt reparti à bord de son véhicule sans passer par le bureau. Dumoulin n'aurait pas manqué de lui réclamer un résumé de la semaine écoulée. Il souhaitait profiter au maximum de la lumière du jour pour rouler. Fidèle à ses instructions, Angèle l'attendait au pied de l'immeuble, Bella dans les bras et bagages à ses pieds. Ils avaient aussitôt pris la route en direction de la résidence secondaire. Ils n'attendaient jamais le samedi pour partir, sauf cas de force majeure. Partir le samedi, c'était grignoter sur le week-end, l'amputer d'une matinée. Cela faisait des week-ends bancals. Arriver le vendredi changeait totalement la physionomie du séjour, avec la perspective de deux vraies journées. Les premiers kilomètres avaient été occupés à parler, elle toujours plus que lui, puis le flot de paroles s'était tari et la radio avait rempli leurs silences. La nuit était tombée depuis près d'une heure lorsque le panneau d'entrée en agglomération d'Alzon avait surgi dans le faisceau des phares. Ils avaient sauté dans leur pyjama respectif sitôt arrivés et s'étaient couchés, lui avec sa fatigue, elle avec sa liseuse. À la lumière du jour, tous deux contemplaient à présent la terrasse, incrédules devant le spectacle de désolation qui s'offrait à eux. La vie s'était figée ici à 9 heures précises sept jours plus tôt, à l'instant même où le pied de Xavier atterrissait sur la patte de la chienne. Dans l'urgence de leur départ, ils n'avaient pas pris le temps de ranger, n'y songeant même pas et s'étaient enfuis en laissant l'endroit en l'état, la chaise toujours appuyée contre le mur végétal et le petit-déjeuner encore sur la table. Pendant la semaine, les oiseaux avaient piqueté de centaines de coups de bec le pain de beurre à travers son emballage d'aluminium. Les becs de ces mêmes oiseaux ou la dentition aiguisée d'un autre animal tout aussi vorace avaient déchiqueté le paquet de biscottes. Miraculeusement échappée à la curée, une tranche gisait à même le dallage de la terrasse. Sur la nappe constellée de fientes, le journal attendait encore qu'une main vienne le libérer de son ruban de papier. Il restait du café dans les bols où surnageaient de nombreux insectes. Certains barbotaient frénétiquement, battant la surface noire de leurs ailes. D'autres sur le dos griffaient le vide de toutes leurs pattes. Un verre de jus d'orange renversé avait fini sa course sur les pavés autobloquants où il avait explosé en une myriade d'éclats translucides. Seul le pot de confiture protégé par son couvercle avait échappé aux vandales. Il ne subsistait plus aucune trace de la pomme qu'ils avaient pour habitude de se partager avec Angèle en fin de petit-déjeuner. De quelle bestiole avait-elle bien pu faire le régal? Curieuse, Bella s'arracha au mœlleux de ses coussins et traversa la cuisine de sa démarche heurtée pour rejoindre ses maîtres. La chienne regarda la scène avec circonspection puis boitilla jusqu'à la biscotte survivante qu'elle renifla, méfiante, avant de l'engloutir sous le regard dégoûté d'Angèle qui la réprimanda.

— Je n'ai pas voulu passer hier soir car il était tard mais je me suis fait un sang d'encre toute la semaine en voyant cette table pas débarrassée.

Comme souvent, le couple sursauta à l'arrivée de leur unique voisine. Hélène Aspic ne connaissait pas la sonnette, ne l'avait jamais connue et ne la connaîtrait sans doute jamais. Elle pouvait apparaître à n'importe quel moment de la journée, surgissant de nulle part, dans son éternelle blouse en nylon bleu délavé. À soixante-dix ans passés, la veuve sans enfants s'était attachée au couple Barthoux, ne manquant jamais d'offrir ses services, trouvant toujours une bonne occasion pour leur rendre visite. En cas d'absence, il n'était pas rare de découvrir dans un sac suspendu à la clenche de la porte d'entrée courgettes, poireaux ou salades, autant de gages de bon voisinage. Guidée par une éducation judéo-chrétienne qui lui commandait d'aimer son prochain, même une voisine encombrante, Angèle tolérait sa présence invasive, lui offrant avec charité un peu de son temps et de son thé que la vieille femme prenait un malin plaisir à siroter du bout des lèvres. Xavier ne supportait plus les incursions sauvages de la bonne femme et ses petits yeux inquisiteurs toujours en mouvement qui vous radiographiaient des pieds à la tête avant de reprendre leur furetage. Il planta Angèle, laissant à celle-ci le soin de se débarrasser de la voisine, et ne réapparut qu'après qu'Hélène Aspic eut franchi le portail de l'entrée.

Ils passèrent la demi-heure suivante à nettoyer le champ de bataille. Malgré un ciel uniformément gris, la pluie ne semblait pas menacer et le temps était à la douceur. Angèle souhaita néanmoins prendre son petit-déjeuner à l'intérieur. La terrasse avait pour l'instant perdu tout attrait à ses yeux. Sitôt avalée sa dernière gorgée de café, Xavier, bien que conscient de l'absurdité de son acte, vérifia que la fissure était bien là, puis sauta dans les vieux habits qu'il réservait aux travaux salissants. Il déploya la double échelle sortie de l'appentis, l'appuya contre le feuillage sous le faîte du toit qui culminait à près de six mètres du sol et escalada les barreaux avec entrain malgré les supplications de son épouse.

— Écoute, il y a sûrement une autre solution. Tu n'es pas obligé de tout enlever. Tu pourrais très bien ne dégager que l'endroit où se trouve la fissure.

Il grimaça. Angèle n'abandonnait jamais la partie et encore moins une partie en cours. Désagréable impression de reprendre la discussion interrompue la semaine précédente là où ils l'avaient laissée. Il nota avec amusement que son épouse avait pris soin cette fois-ci de s'emparer de Bella venue se poster au pied de l'échelle.

— Si je n'en arrache qu'une partie, Angie, ce sera encore plus moche. Ça fera une trouée horrible en plein milieu. Tu imagines le mur avec une tonsure de moinillon en plein milieu. Non, je préfère couper à blanc, vérifier par la même occasion que la façade ne présente pas d'autres lézardes. Et puis elle repartira, ta vigne, si vraiment tu y tiens tant que ça, c'est increvable ces machins-là.

Il avait gueulé les derniers mots et coupé court à la discussion en tranchant d'un coup de sécateur la première branche à portée de main. Comprenant qu'il ne changerait pas d'avis, Angèle retourna dans la maison, son chihuahua calé sous le bras, visiblement affectée de se voir ainsi capituler devant la pugnacité de son mari. Tandis qu'il taillait et arrachait la vigne, Xavier sentit monter en lui un bien-être qu'il n'avait plus connu depuis longtemps. Cet élagage définitif le ragaillardissait. La plante s'agrippait au crépi de toutes ses ventouses comme si, consciente de sa mort prochaine, elle se refusait à rendre les armes. Cramponné fermement d'une main à l'échelle, il attrapait de l'autre les branches qu'il tirait de toutes ses forces. Il le faisait avec une joie sauvage, exultait lorsqu'un plein paquet de verdure cédait et se décrochait du mur. Le sécateur tranchait alors les derniers brins qui maintenaient l'amas suspendu au-dessus du vide pour le faire tomber au sol. La vigne s'affalait dans un froissement sur les dalles en une pluie de feuilles et de branches mêlées. De temps à autre, Xavier retrouvait la terre ferme, déplaçait l'échelle latéralement ou la repliait de quelques barreaux selon sa progression. Il en profitait pour repousser du pied l'amoncellement qui s'était formé au bas du mur puis repartait à l'assaut de l'envahisseur, sourire aux lèvres. Et lorsque la plante lui résistait, il s'encourageait à haute voix, invectivait la branche récalcitrante. « Ah ma salope, tu ne crois quand même pas que tu vas t'en tirer comme ça. Tu connais pas le père Barthoux, on dirait. Viens ici ma cocotte, je vais t'apprendre qui c'est le chef ici. » Trempé par le feuillage humide qui s'abattait sur lui, les cheveux parsemés de brindilles et de fragments végétaux, Xavier fendait la mer végétale avec allégresse. Il était Livingstone traversant à grands coups de machette la forêt équatoriale. Il était Moïse scindant en deux les eaux de la mer Rouge. Il était le Neo de Matrix combattant la multitude d'agents lancée à ses trousses. Perché à plusieurs mètres du sol, il était tout cela à la fois, tout sauf Xavier Barthoux, pitoyable représentant de commerce en objets statuaires à vocation décorative extérieure. À midi, il était parvenu à libérer toute la partie haute du mur, soit plus d'un tiers de la façade. Il gardait le meilleur pour la fin, la partie la plus accessible.

Il mangea avec appétit le repas concocté par Angèle. Ça creuse, de détruire, peut-être plus encore que de construire, se dit-il, en enfournant les spaghettis avec gourmandise. Il arrosa le tout d'un Saint-Joseph qu'il sirota avec volupté. Un corps à la fois doux et charpenté auquel il aurait bien aimé ressembler. Il reprit le travail sans prendre le temps d'un café. Il avançait vite. Il avait abandonné l'échelle, se contentant d'un escabeau, plus léger et plus facile à manœuvrer. Lorsqu'il atteignit la zone où se trouvait la fissure, son pouls s'accéléra. Il abandonna toute sauvagerie pour faire preuve de délicatesse. Il avançait désormais brin par brin, décrochait les racines une à une, dosant sa force, progressant du haut vers le bas sans brusquerie, comme si, là-dessous, sommeillait un animal prêt à fuir ou à mordre. Une fois le mur entièrement nu, armé d'un pack de bières, Xavier alla s'asseoir au fond de la terrasse près du jardinet où poussait une forêt miniature de rhododendrons. Le temps s'était encore alourdi et le tee-shirt trempé de sueur lui collait à la peau. Il descendit goulûment une première canette et s'empara aussitôt d'une seconde. Deux ne seraient pas de trop pour étancher une soif qui appelait à elle toutes les bières du monde. Les gorgées glissaient dans son gosier avant d'aller glacer son estomac. Il éructa bruyamment, lissa sa moustache et admira son œuvre. Comme il le craignait, la fissure courait sur le mur en une grande diagonale qui partait du sol pour s'en aller mourir au-dessus de la porte-fenêtre. Jamais il n'aurait un jour soupçonné que la contemplation d'un mur, un mur des plus ordinaires, puisse lui procurer autant d'émotions et de sentiments contradictoires. Satisfaction d'en avoir fini avec cet envahisseur suceur de crépi d'un côté, inquiétude face à l'étendue de la fissure de l'autre. Angèle était partie en début d'après-midi faire le plein de provisions, emmenant Bella avec elle. Personne avec qui partager ce moment. Alors, pour la première fois de sa vie, Xavier tourna la tête vers le jardinet et s'adressa à Numéro 8.

6

Numéro 8 restait à ce jour le plus grand nain de jardin jamais produit par les ateliers Frachon. Avec sa taille respectable de soixante-deux centimètres des pieds à la pointe du bonnet, il avait fait le succès de la maison à l'apogée de sa réussite dans les années 70. Outre ses dimensions d'exception, l'autre particularité notable de ce modèle résidait dans sa couleur. Contrairement à ses compatriotes barbouillés de teintes toutes plus criardes les unes que les autres, Numéro 8 n'en portait aucune, sinon celle de sa terre cuite, d'un beau brun orangé qui, loin d'appauvrir le rendu final, conférait à l'objet un petit côté art brut. La bonhomie de ce personnage à la bouille hilare tirant la langue avait séduit des milliers de gens de par le monde qui en avaient garni leur pelouse, leur jardin, voire pour certains leur intérieur. L'objet était devenu cultissime dans le milieu des nanomanes, une rareté convoitée qui s'arrachait à prix d'or chez les brocanteurs. Comme tous les salariés de chez Frachon, Xavier avait eu droit le jour de son entrée dans l'entreprise à son Numéro 8, remis des mains mêmes du père fondateur au cours d'une petite cérémonie que le jeune homme qu'il était alors avait trouvée des plus ridicules, jusqu'à ce que l'intensité de l'émotion qui brillait dans les yeux du vieux lorsqu'il lui avait déposé la statue de quatre kilos dans les bras le submerge à son tour.

Le nain était resté une semaine dans l'appartement de Clermont, posé comme un trophée sur le guéridon de l'entrée. Si le gnome ne gênait en rien Xavier, Angèle n'avait pas supporté cette présence silencieuse qui encombrait son couloir. « En plus, je le trouve inquiétant, j'ai toujours l'impression qu'il me regarde », avait-elle avoué un soir à son mari qui dès le lendemain avait remisé Numéro 8 à la cave. Il avait refermé le cadenas de la porte à claire-voie avec, vrillée dans l'estomac, la culpabilité de le laisser croupir ainsi au milieu des odeurs de terre battue, condamné à tirer la langue à l'obscurité pour l'éternité. Le nain avait végété là de longues années, oublié parmi le fatras d'objets entassés dans le réduit. Il s'était rappelé au souvenir de Xavier un jour où celui-ci plantait les jeunes rhododendrons dans le jardinet jouxtant la terrasse de leur toute nouvelle résidence des Cévennes. Angèle avait accepté sans trop de difficultés la venue de Numéro 8 à Alzon, après que son époux lui eut expliqué que la fonction première d'un nain de jardin n'était pas de croupir seul au fond d'une cave mais bien de vieillir les pieds ancrés dans une belle terre grasse à respirer le grand air entouré de verdure. Depuis maintenant une douzaine d'années, Numéro 8 vivait au milieu des arbustes. Saison après saison, le temps avait patiné son corps. La pluie, le vent, la lune, le froid glacial en hiver, le soleil de plomb en été, autant d'agresseurs qui, après s'être attaqués au brillant qui lustrait sa céramique, avaient buriné sa terre orangée, effritant sa surface, l'écaillant par plaques entières, s'étendant telle une lèpre qui avait raboté son nez, rongé le haut de son bonnet et rogné ses mains dont il ne subsistait plus que deux moignons informes. Étrangement, protégée comme par magie, la langue moqueuse qu'il tirait à longueur de jour et de nuit était restée intacte. On y découvrait parfois une limace ou un escargot aventureux qui, après avoir escaladé la soixantaine de centimètres de terre cuite et glissé le long du visage rigolard, venaient finir leur course sur ce promontoire.

Seul sur sa terrasse, Xavier vit en Numéro 8 un interlocuteur comme un autre et c'est le plus naturellement du monde qu'il le prit à témoin, aidé par le début d'ivresse qui embrumait son esprit.

— Je ne sais pas ce que tu en penses toi mais je ne suis pas mécontent d'en avoir fini avec cette verrue.

— T'appelles ça fini, copain ? Faut vraiment pas être difficile.

Le Xavier Barthoux d'il y a une semaine, celui d'avant la fissure, aurait jugé totalement absurde le fait qu'un nain de jardin puisse se mettre à parler. Le Xavier d'aujourd'hui, lui, n'y trouva rien d'étonnant et poursuivit la conversation.

— Quoi ? J'ai tout enlevé ou j'ai pas tout enlevé ?

— Tu as vu tout ce que tu as laissé ? Tu parles d'un boulot !

Xavier reporta son attention sur la façade et dut reconnaître que Numéro 8 n'avait pas entièrement tort. De-ci de-là, pendouillaient des brins, des racines, parfois de grandes tiges effeuillées. Le mur lui fit penser à la joue d'un géant hérissée de longs poils épars. En outre, la multitude de coussinets adhésifs encore arrimés au crépi constellaient la façade de points noirs. Sa satisfaction initiale en prit un coup. Il allait lui falloir brosser et gratter la surface rugueuse pour la débarrasser de ces stigmates récalcitrants. Numéro 8 enfonça le clou.

— Et la fissure, copain, s'agirait pas de l'oublier, TA fissure. C'est quand même à cause d'elle que tu as fait le singe sur une échelle une bonne partie de la journée et c'est à peine si tu l'as regardée.

Le nabot avait raison. La fissure était la priorité, devait rester la priorité. Il se leva pour l'examiner d'un peu plus près. Tant dans son tracé que dans sa forme, elle était irrégulière. Parfois rectiligne, sa route pouvait bifurquer soudainement, hésitante sur la direction à suivre, avant de retrouver son cap. De l'épaisseur d'un cheveu dans sa terminaison haute, Xavier pouvait y glisser le petit doigt à la base du mur.

— Il compte faire quoi le roi du bricolage pour empêcher sa baraque de se fendiller comme une vulgaire coquille d'œuf?

Il n'appréciait pas le ton moqueur avec lequel Numéro 8 jouait les alarmistes.

— Mais c'est tout vu, mon petit pote. Le week-end prochain, je reviens avec une cartouche de joint de maçonnerie et je lui colmate sa face. Ça sera vite réglé.

— Et après, tu en fais quoi, du mur ? Tu le repeins ? Tu lui mets un nouveau crépi ? Tu le rhabilles avec du bardage ? À moins que tu laisses repousser la vigne vierge de madame, puisqu'elle a l'air d'y tenir autant qu'à sa bible de première communion ?

Xavier pouffa. Si son épouse l'avait entendu, Numéro 8 aurait passé un sale quart d'heure. Fallait pas chatouiller Angie avec la religion. Au début de leur mariage, après s'être essayé à quelques vannes graveleuses sur le clergé, il avait vite compris que s'il était un sujet sur lequel il ne fallait pas plaisanter, c'était bien celui-là. Elle ne manquait jamais l'occasion d'aller à la messe le dimanche, que ce soit à Alzon ou sur Clermont, l'entraînant parfois avec elle dans sa soif de spiritualité. Il assistait à l'office comme on assiste à une pièce de théâtre, se laissant bercer par le sermon au milieu des odeurs d'encens, somnolant ou au contraire profitant de l'instant pour penser à mille choses. À leur entrée dans la maison, Angèle avait fait venir le curé de la paroisse pour procéder à la bénédiction des murs. Xavier avait toléré cette cérémonie d'un autre âge sans rechigner, ça ne pouvait pas faire de mal et ça ne coûtait rien de plus que les vingt-trois euros demandés par les affaires diocésaines pour la prestation. Vingt-trois euros, le prix d'une consultation chez le toubib. Un samedi, le prêtre avait balancé de pleines giclées d'eau bénite sur les quatre faces de la maison en ânonnant des psaumes, suivi comme son ombre par Angie et lui. Son défunt père marxiste léniniste avait dû se retourner dans sa tombe à cette mascarade. Dans sa lancée et pour le même prix, l'homme d'Église avait béni leur voiture de l'époque, une Renault 25 turbo diesel, celle-là même avec laquelle ils avaient enfoncé un parapet de pont sur les routes ardéchoises le mois suivant. Numéro 8 gloussa.

— Eh bien vu les résultats de ses aspersions, elle devait être sacrément périmée sa Sainte Flotte à monsieur l'abbé, tu ne crois pas ?

Xavier souriait encore lorsque Angèle rentra des courses. Quand elle vint le trouver sur la terrasse et lui demanda la raison de ce sourire imprimé sur son visage, il ne sut que répondre. Tel un adolescent surpris par sa mère en pleine séance d'onanisme, il finit par balbutier un timide « rien » qui contenta son épouse, pressée qu'elle était de retrouver sa liseuse sur le canapé du salon. Xavier chercha Numéro 8 du regard. À l'abri de ses rhododendrons, le gnome s'était refermé comme une huître à l'arrivée d'Angèle.

7

Il passa tout le dimanche grimpé sur l'échelle, à frotter et gratter les nombreuses radicelles abandonnées par la vigne vierge au crépi, s'acharnant à coups de spatule et de brosse métallique avec pour résultat un grain de sable dans l'œil que le collyre peina à déloger. Le travail de forçat eut pour avantage de le dispenser de messe dominicale. Profitant de l'absence d'Angèle, Numéro 8 prit un malin plaisir à le charrier.

— Essaie l'eau bénite au pulvérisateur, ça finira peut-être par faire crever ce qui reste.

Sourd dans un premier temps aux propos moqueurs du nabot, Xavier finit par se retourner du haut de son perchoir pour chercher des yeux parmi les rhododendrons la bouille rigolarde.

— Toi qui es si malin, vas-y, dis-moi comment je devrais m'y prendre, Monsieur Je-sais-tout, je t'écoute. Facile de la ramener quand on n'a jamais rien foutu de ses dix doigts. D'ailleurs, c'est pas avec les moignons qui te servent de paluches que tu pourrais m'être d'une grande utilité.

Xavier frissonna à l'écoute du ricanement qui sortait de sa propre bouche. Un grincement de clenche grippée.

— Ça n'est tout de même pas notre faute si chez Frachon vous n'êtes pas capables de produire une terre cuite qui tienne dans le temps, lui rétorqua Numéro 8. Et plutôt que de te moquer des infirmes, tu ferais mieux de t'occuper de ton vrai problème.

— Ce n'est qu'une fissure, on ne va pas en faire tout un plat.

— Non, c'est beaucoup plus que ça et tu le sais très bien mon p'tit pote.

— Ne m'appelle pas mon p'tit pote. Ici, le petit, c'est toi, pas moi.

Le retour d'Angèle mit fin à la discussion stérile. Comme la veille, le gnome referma son clapet à son arrivée.

Xavier ressortit de son week-end éreinté. Stress, sédentarité et mauvaise bouffe avaient empâté son

organisme ces dernières années, la tonte de la pelouse et les sorties défécatoires de Bella ne pouvant raisonnablement être considérées comme de l'exercice physique. Les courbatures de ce lundi matin lui firent redécouvrir des muscles oubliés. Épaules en marmelade, dos ankylosé, cuisses douloureuses, avant-bras engourdis, plantes des pieds meurtries, autant de douleurs qui le firent se sentir vivant. Il embrassa Mô occupée à badigeonner d'un beau vert pomme les bonnets d'une colonie de nains pousseurs de brouettes. « Vous êtes la plus belle, Marie-Odile, lui souffla-t-il au passage. Tous ces nabots ne vous méritent pas. » Le masque de protection peina à contenir le feu monté aux joues de la coloriste.
L'atmosphère du bureau de Dumoulin était glaciale. À son entrée dans la pièce, Lhuillier fuit son regard et le patron ne prit même pas la peine de lever la tête de ses papiers pour le saluer. Les poignées de mains n'étaient pas à l'ordre du jour ce matin.

— Barthoux, on n'attendait plus que vous.

Le « comme d'habitude » contenu dans le silence qui ponctua la phrase retentit plus fortement encore que s'il avait été prononcé.

— Je ne vais pas vous cacher que les résultats de la semaine écoulée ne sont pas à la hauteur de nos espérances, loin s'en faut. Jean, vous confirmez que les expéditions ont été plutôt limitées.

Jean confirmait.

— Qu'est-ce qui s'est passé, Barthoux ?

Son prénom n'était pas non plus à l'ordre du jour.

— Des problèmes particuliers avec les clients ? Et qu'est-ce qui vous a pris de casser nos prix ? Pas un bon de commande où je n'ai pas vu le matos remisé. Au hasard, tenez, le Planti'Marché de Moulins-lès-Metz par exemple, merci Lhuillier, qu'est-ce qu'on y voit ? Douze pour cent, vous vous rendez compte, Barthoux ? Douze pour cent ! Et si encore ça avait eu pour effet de générer des achats conséquents, je ne dis pas, mais a priori, ça ne se bouscule pas au portillon pour les BN. Si l'origine du problème vient des fissures, dites-le-nous, on cherchera une solution mais on ne peut pas continuer dans cette voie.

Lhuillier opina. Xavier était assis devant un tribunal avec Dumoulin dans le rôle de l'avocat général et le chef d'atelier dans celui du greffier. Aucun avocat de la défense, pas même un commis d'office pour venir à son secours. Il pensa à Numéro 8. Le nain lui manquait. Sa présence à ses côtés en cet instant lui aurait été d'un grand soutien.

— Jean, vous pouvez nous laisser s'il vous plaît ?

Jean ne demandait pas mieux et quitta le bureau prestement pour aller s'occuper de ses livraisons.

— Je vais être clair avec vous, poursuivit le patron sitôt la porte refermée dans le dos du chef d'atelier, Céramix risque de l'avoir mauvaise à la vue de ces premiers résultats. Je compte sur vous pour que vous vous repreniez, Barthoux. Il serait bon de redresser la barre. Et considérez cela comme un ultimatum et non comme un simple conseil. Vous êtes dans la maison depuis combien de temps maintenant ? Vingt ans, trente ans ?

— Depuis 1983. Ça va faire trente-trois ans à la fin de l'année.

Il détesta le ton penaud avec lequel il avait répondu au directeur.

— Depuis quelque temps, je vous sens moins impliqué dans la vie de l'entreprise.

Xavier ravala son rire. Quatre rescapés dans un entrepôt, étrange conception de la vie de l'entreprise. Que rétorquerait Numéro 8, lui qui était né au plus fort de l'activité ce jour de novembre 1976 où une ouvrière l'avait démoulé, cuit puis brossé avant de vernir sa terre cuite encore tiède ? Il l'avait bien connue, la vie de l'entreprise. Flux et reflux des employés au changement des équipes, comme un sang qui va et qui vient dans un cœur qui bat. Les éclats de voix et de rire, le claquement des portes des armoires métalliques, le roulement des chariots, le ronron continuel des fours, le souffle d'air comprimé des pistolets à peinture, des bruits qui remplissaient le ventre de l'usine. Les veilles de vacances, l'attroupement autour des assiettées de chips, un verre de kir à la main, à se dire les choses, bonnes ou mauvaises. Et tout au long de l'année, tel un fil rouge, la boîte en fer blanc qui circulait, passant d'atelier en atelier, de main en main, toujours la même, une boîte dans laquelle chacun glissait la pièce à l'occasion d'un mariage, d'une naissance ou pour payer la couronne mortuaire du collègue décédé. Un premier four avait été arrêté en 2002, le dernier six ans plus tard. La boîte en fer blanc avait disparu, comme tout le reste, victime du nettoyage pratiqué par les Américains qui les avaient fait passer de soixante-dix salariés à quatre et du blanc cassis à l'eau plate. Dumoulin se fit conciliant.

— Écoutez, si vous avez des problèmes d'ordre personnel, vous pouvez m'en parler vous savez.

Xavier se racla la gorge.

— Si vous me le demandez, eh bien à vrai dire, oui, j'ai depuis quelque temps un problème personnel. Un problème d'ordre physiologique plus exactement.

Intrigué, le directeur se pencha au-dessus de son bureau, menton posé sur ses mains jointes.

— Je vous écoute.

— Je souffre de…

Xavier regarda à droite puis à gauche avant de lâcher le mot dans un souffle.

— Hyperhidrose.

Il jubila à la vue des rides d'incompréhension nées sur le front de son chef à l'énoncé de la maladie.

— D'hyper quoi ?

— D'hyperhidrose. Depuis deux mois environ.

— C'est-à-dire ?

— Une sudation excessive que je ne parviens pas à réguler et qui me pourrit l'existence.

— Eh bien il faut consulter mon vieux, il doit bien exister des remèdes pour ça.

— Ah mais j'ai consulté. Le toubib m'a dit que ça ne venait pas de moi, que l'origine du problème n'était pas physiologique mais mécanique.

— Je ne comprends pas, s'agaça Dumoulin.

— Eh bien voilà, Monsieur Dumoulin, quand la clim fonctionnait, je ne ressortais pas de la voiture ramolli comme un jeune plant de laitue resté des heures en plein cagnard. Je ne déboulais pas avec mes cartons auprès des clients trempé avant même d'avoir commencé. On n'a pas le mental à vendre des statuettes quand on se promène avec sous les bras des auréoles grandes comme des quarante-cinq tours. Les auréoles sous les bras, ça n'a jamais rendu crédible celui qui les porte, encore moins un représentant de commerce. Un gars qui sue, c'est qu'il a quelque chose à cacher ou qu'il s'apprête à vous faire un coup fourré. Donc en réalité, l'origine du problème est bien mécanique. Faites réparer la clim et ça devrait aller mieux, ce sont les propres mots du docteur.

Dumoulin bouillait intérieurement. Son directeur commercial venait de se foutre ouvertement de sa gueule, lui offrant au final ce drôle de sourire en coin un peu flippant qu'il avait une fâcheuse tendance à arborer ces derniers temps.

— C'est bon Barthoux, vous avez gagné, on va la faire réparer votre clim. Je m'occupe de prendre rendez-vous avec le garage samedi prochain. En attendant, vous n'aurez aucune excuse avec la chaleur pour cette semaine, la météo annonce une grosse chute des températures pour les cinq jours à venir. Vous avez intérêt à vous reprendre Barthoux, c'est le seul conseil que je puisse vous donner.

Xavier contempla les rayonnages qui couvraient le mur du sol au plafond dans le dos de Dumoulin. Y étaient exposés tous les modèles de nains sortis des ateliers depuis leur création. Géant parmi les siens, le Numéro 8 qui s'y trouvait était flambant neuf. Un exemplaire qui n'avait jamais quitté l'usine, qui n'avait jamais vu le moindre carré de pelouse, sur lequel ne s'était jamais posé aucun papillon, un nain mort avant d'avoir vécu et qui tout le temps qu'avait duré l'entretien était resté muet comme une carpe.

8

Angèle le tira de son sommeil au milieu de la nuit. Il y avait un bruit. Un bruit qui provenait du grenier. Quelque chose courait là-haut depuis près de cinq minutes. Xavier tendit l'oreille. Sa femme avait raison. Des pattes griffues ripaient sur le bois du plancher. Une bestiole gambadait au-dessus de leur tête. Pas un oiseau. Un oiseau marchait ou volait mais ne trottinait pas de la sorte en provoquant un tel raffut, pas même un gros corbeau. Entre deux allées et venues, le silence reprenait possession de la chambre. Le couple suspendait sa respiration avant que pleuve de nouveau du plafond le bruit de trottinement. C'était l'allure nerveuse d'une bête qui visite, fait le tour du propriétaire avant de prendre ses marques.

Xavier alluma la lampe de chevet, saisit la torche rangée dans le tiroir de la table de nuit et se faufila dans le couloir. Après avoir déverrouillé la trappe qui donnait sur les combles, il déplia l'escalier escamotable qui se verrouilla en émettant un claquement sec. Le cœur battant, il passa la tête par l'ouverture et balaya les ténèbres du faisceau de sa lampe. La bête était là, immobile, rencognée à l'extrémité du grenier, le fixant de ses petits yeux noirs. Deux gouttes d'encre posées à même la fourrure. Elle souleva la tête, tendit le museau pour humer l'air saturé de poussière. Le plastron blanc de son cou aspira à lui toute la lumière de la torche. En un éclair, la bestiole glissa son corps fin dans un interstice entre le mur et la volige et disparut. Xavier regagna la chaleur de son lit au milieu du silence revenu.

— C'était quoi ?

— Une proche parente d'Hélène Aspic.

— Qu'est-ce que tu racontes ?

— Une fouine, c'était une fouine.

— Tu es bête. Elle est partie ?

— Oui, mais elle reviendra maintenant qu'elle connaît l'adresse. Et d'ici à ce qu'elle vienne nicher chez nous, je ne serais pas surpris. Tu me feras penser à demander la 22 à ton père quand on ira fêter l'anniversaire de ta mère.

Angèle se blottit contre lui.

— Mon héros, lui susurra-t-elle à l'oreille tandis que sa main se faufilait dans le pantalon de pyjama à la recherche de son sexe. Ils firent l'amour comme deux êtres connaissant leur corps sur le bout des doigts peuvent le faire, sans autre calcul que celui de répondre à la pulsion de l'instant et aux attentes de l'autre. Les ébats enfiévrés des débuts avaient rapidement rassasié la libido de son épouse, un orgasme de temps à autre suffisant amplement à son bonheur. À l'appétit sexuel de son mari, Angèle opposait le plus souvent des refus polis mais fermes qui, après avoir exacerbé son désir envers elle, finirent par l'émousser. La naissance d'Axel avait entériné l'accord de cessez-le-feu, accord que les deux camps rompaient parfois le temps d'un assaut plus rapide que torride. Mais depuis quelque temps, Angèle se montrait étonnamment entreprenante, faisait preuve d'une fougue que son mari ne lui avait jamais connue par le passé en prenant la direction des opérations comme cette nuit. Il répondait à la demande, avec cette impression pas toujours agréable que son pénis ne lui appartenait plus vraiment, que ce morceau de lui-même vivait une vie propre en fonction des besoins de son épouse. Tandis que Xavier besognait sans véritable plaisir, la voix de Numéro 8 lui parvint depuis le jardinet.

— Pense à demander à Miss Catéchèse de faire bénir tes organes génitaux la prochaine fois.

Le gloussement de Xavier se noya dans les manifestations de plaisir de sa moitié. Il s'imagina nu et allongé à même le dallage de grès rose de l'église avec, penché au-dessus de lui, le prêtre aspergeant ses attributs à grands coups de goupillon en psalmodiant le Pater Noster. Il jouit comme on se mouche avant de s'abattre, le souffle court, sur l'oreiller.

Bercé par la respiration profonde d'Angèle, il repensa à la semaine écoulée, à son ras-le-bol promené de point de vente en point de vente au milieu de zones commerciales sans âme, à tous les kilomètres parcourus pour décrocher les commandes attendues par Dumoulin. Cinquante BN à Vannes, trente à Rennes, près de deux cents sur le secteur de Nantes, une centaine sur Angers. Il avait parlé à ses Blanche-Neige. Tous les jours, de plus en plus. Pour se plaindre de l'état du trafic, du désembuage poussif de la voiture, pour les prendre à partie face aux incartades de certains automobilistes. Leur avait parlé de Numéro 8 qui se morfondait à l'attendre entre deux week-ends au milieu de ses rhododendrons. Numéro 8 qui lui manquait terriblement avec sa gouaille moqueuse et sa gueule ravagée mais qui lui au moins répondait quand on lui adressait la parole, pas comme ces princesses désespérément muettes dans leur carton. Dumoulin ne s'était pas trompé côté météo. La pluie avait chassé la chaleur étouffante, laissant la place au froid. Un froid humide à vous transir jusqu'aux os et qui l'avait poursuivi jusqu'à Alzon, comme une malédiction.

9

— Il y a quelqu'un ?

Être réveillé par la voix d'Hélène Aspic n'était pas ce qu'il y avait de plus agréable pour démarrer une journée, surtout un samedi.

— Houhou, il y a quelqu'un ?

Xavier se tourna vers son épouse.

— Vas-y ou je vais la tuer.

Angèle sauta du lit, enfila un peignoir et alla ouvrir à la voisine qui piétinait d'impatience le paillasson.

— Bonjour Hélène.

— Pour vous ! s'exclama celle-ci en lui tendant un plein panier de courgettes ruisselantes d'eau. Toutes fraîches et cueillies du matin. En gratin, vous m'en direz des nouvelles. Vous nous avez ramené le soleil, il fait un temps splendide.

— Merci, c'est gentil à vous mais nous sommes arrivés tard hier soir et nous n'avons pas encore déjeuné, si vous voulez bien repasser plus tard si ça ne vous dérange pas, Hélène.

— Il était minuit dix quand j'ai vu vos phares. Je me suis dit les pauvres ils seront tombés dans les bouchons du week-end. Il vous faudra du pain ? Je dois passer chez Mouret, je peux vous en ramener. Bella va mieux ? Elle n'est pas là ?

— Ça va, elle va mieux, merci Hélène, à plus tard.

Angèle referma la porte, seul moyen efficace d'abréger la discussion avec la voisine. Impatient de retrouver Numéro 8, Xavier insista pour déjeuner sur la terrasse malgré la fraîcheur matinale. Il alla s'asseoir, caressant au passage le bonnet du gnome. Il avait soupé d'une simple pomme la veille et son estomac criait famine. Tandis qu'il engouffrait tartine sur tartine, il regarda la fissure. Elle s'était élargie à la base du mur.

— Elle a grossi.

— Ah bon, tu trouves ? Il faut dire que depuis la perte de sa mère, elle a du mal à remonter la pente, observa sa femme occupée à tartiner de confiture des petites bouchées pour Bella.

Les yeux rivés sur la façade, Xavier insista.

— Elle n'était pas aussi grosse le week-end dernier, j'en suis certain.

Numéro 8 y alla de sa remarque, en rien gêné par l'escargot qui avait élu domicile sur sa langue pendant la nuit.

— Tu espérais quoi ? Qu'elle arrête sa course en si bon chemin comme ça du jour au lendemain.

— Maintenant que sa mère n'est plus là pour surveiller ce qu'elle mange, elle doit compenser avec la nourriture, poursuivit Angèle. Sûre qu'elle boulotte des cochonneries entre les repas, Hélène a toujours eu des tendances boulimiques.

— Tout à l'heure, j'irai acheter du joint de maçonnerie pour la colmater, décida Xavier en lissant sa moustache, pour pas que l'eau s'infiltre et nous fasse tout péter au premier coup de gel.

— Ravi de voir que monsieur se décide enfin à prendre le taureau par les cornes, se félicita le nabot.

Xavier intima du regard à Numéro 8 de se taire. Si les propos du nain ne le gênaient en rien, il risquait d'en aller tout autrement avec sa femme. Le gnome explosa de rire.

— Mais elle ne m'entend pas, ton Angie, tu n'as pas à t'en faire. Je peux m'époumoner autant que je veux, rien ne rentrera dans ses oreilles. Aussi hermétique qu'une moule avant la cuisson, pas branchée sur le bon canal ta petite chérie. VOUS M'ENTENDEZ, MADAME BARTHOUX ? HOUHOU, MADAME BARTHOUX , C'EST NUMBER EIGHT QUI VOUS CAUSE DEPUIS RADIO RHODODENDRON !

Angèle tourna la tête vers son mari, lui présentant une moue dubitative.

— Mon chéri, je ne vois pas en quoi du joint de maçonnerie pourrait aider Hélène à résoudre ses problèmes de poids, vraiment pas.

— Mais qui te parle d'Hélène, Angie ? Je te parle de la fissure. Tu ne vois pas qu'elle a grossi ?

— Oh, arrête donc un peu avec ça, on dirait qu'il n'y a plus qu'elle qui compte, ta fissure. Non, je n'ai pas l'impression qu'elle soit plus grosse que la dernière fois. Et puis tu n'avais qu'à laisser ma vigne. Avec elle au moins, on ne l'avait pas sous les yeux. Regarde-moi ce mur, il ne ressemble plus à rien.

— Dis donc, ton ange n'a vraiment pas avalé que tu lui pulvérises sa marée verte, constata Numéro 8.

— On va le rhabiller avec du bardage, tu verras chérie, ils en font des beaux. Ça donnera un autre cachet à la maison.

Armé d'un mètre enrouleur, Xavier mesura la fissure. De la base au sommet, elle s'étirait sur plus de trois mètres. Il marqua d'un trait le crépi à l'endroit où s'arrêtait la lézarde.

— Je suis sûr qu'elle a pris au moins cinq centimètres pendant la semaine.

À l'aide d'un tournevis, il fourragea à l'intérieur du mur. La fissure avala l'outil jusqu'au manche. Le mal était profond. Il métra les surfaces pour l'achat des planches et des liteaux nécessaires à la pose du bardage, reportant une à une les mesures sur son iPhone.

— C'est pas une bonne idée ça, copain. Vraiment pas une bonne idée.

Numéro 8 avait énoncé l'avertissement sur un ton grave.

Et pourquoi ça ne serait pas une bonne idée ?

— Cacher le mal n'a jamais soigné le mal. Ce n'est pas parce que tu mets un sparadrap sur une plaie variqueuse que le patient va aller mieux. Ta baraque n'en a que faire que tu lui colles de la vigne, du bardage ou de la pierre de parement sur la façade. Ce qu'elle veut, ta baraque, c'est que tu regardes le problème en face.

Eh bien moi, je persiste à dire qu'un bardage fera très bien l'affaire en ce qui nous concerne.

— Comme tu veux, c'est toi le chef mais je continue de penser qu'un paravent n'est pas la solution.

Xavier avait communiqué avec Numéro 8 en pensant les mots sans en prononcer un seul. Angèle, affairée à nourrir Bella, n'avait à aucun moment soupçonné quoi que ce soit de sa conversation avec le gnome.

Je discute avec toi et elle ne s'en rend absolument pas compte !

— Aussi hermétique qu'une moule avant la cuisson, je te dis.

La constatation du phénomène l'emplit de joie. Devoir partager la relation qui le liait à Numéro 8 avec une tierce personne, même avec sa propre femme, l'aurait contrarié. Il sourit. Plus nécessaire de devoir attendre d'être seul avec le nabot pour pouvoir échanger à loisir avec lui.

— Open bar, copain. Vingt-quatre heures sur vingt-quatre.

Cool.

Le magasin de bricolage le plus proche se trouvait à une demi-heure de route d'Alzon. Le couple passa une partie de la matinée à trouver le bardage désiré. Après mûre réflexion, ils arrêtèrent leur choix sur des lames en pin Douglas de vingt et un millimètres d'épaisseur, cent vingt-cinq millimètres de large et quatre mètres de longueur. Le vendeur ajouta à la commande les liteaux, visseries et clous nécessaires pour la pose. Angèle à qui son mari avait laissé le soin de choisir la couleur jeta son dévolu sur une lasure gris perle. Ils convinrent du samedi suivant pour la livraison. À leur retour, le nain grommelait dans sa barbe.

— Faire l'autruche n'a jamais mené à rien, copain.

Je ne vois vraiment pas en quoi c'est faire l'autruche que de rhabiller ma façade de bardage. Et puis je compte bien la traiter, cette fissure, avant d'aller y coller dessus un sparadrap comme tu dis. Deux cartouches de pâte à joint pour maçonnerie, si avec ça je n'en viens pas à bout.

— Cache-misère, copain, tout ça n'est que cache-misère.

En début d'après-midi, Xavier gratta la crevasse à coups de brosse métallique sur toute sa longueur. À l'aide d'une balayette, il la dépoussiéra méticuleusement avant de tamponner la blessure avec une éponge humide.

Toujours bien nettoyer la plaie avant de traiter, pas qu'une saloperie nosocomiale ne vienne infecter la maçonnerie.

Silence radio du côté de Numéro 8.

Qu'est-ce qu'il y a ? Ça ne convient pas à monsieur ?

— À quoi ça sert que je donne mon avis puisque de toute façon tu n'en fais qu'à ta tête.

Xavier inséra une première cartouche dans le pistolet mécanique et activa la poignée pour faire monter la pâte grise dans l'embout. Il posa le bec sur la lèvre inférieure de la lézarde et commença à injecter le produit dans l'interstice. À intervalles réguliers, il suspendait le pompage et lissait du bout de l'index le trop-plein régurgité par la fissure. Deux mètres plus loin et moins d'une heure plus tard, la lézarde avait avalé le contenu des deux cartouches et il restait la partie la plus large à traiter. Xavier sauta dans la voiture pour retourner au magasin qu'il dévalisa. Il travailla jusqu'à la nuit et termina sous la lumière de la baladeuse dans un nuage de moucherons. La fissure n'était plus qu'un mauvais souvenir, une balafre grise en travers du crépi. Avant d'aller retrouver Angèle dans la maison, il s'approcha de Numéro 8. La lune éclaboussait de sa clarté laiteuse les rhododendrons. Impassible au milieu du feuillage, le nain présentait la sérénité d'un bouddha. Xavier arracha délicatement l'escargot collé sur la langue de terre cuite. Il caressa du bout de la balayette le nabot, chassant les saletés accumulées dans les plis et replis de son corps de lépreux avant de rincer la statue à l'eau claire et de la tamponner à l'aide de son éponge. Le jeu d'ombre et de lumière conférait au visage ravagé par des années d'intempéries un éclat mystérieux. Le merci qui retentit dans sa tête alors qu'il quittait la terrasse le bouleversa. Il n'avait pas souvenir de la dernière fois où le mot avait été prononcé à son intention.

10

Coincé dans les embouteillages de ce début de semaine, Xavier se surprit à siffloter. Comme les lundis précédents, il se sentait aussi creux que les statuettes qu'il promenait dans son véhicule et pourtant la bouille rieuse de Numéro 8 que renvoyait le rétroviseur intérieur du break lui procurait une euphorie revigorante. Il n'était plus seul. Sagement sanglé sur la banquette arrière, calé entre deux cartons de Blanche-Neige, le nain semblait aussi ravi que son chauffeur. Dimanche en fin d'après-midi, alors qu'Angèle encourageait de la voix Bella à faire un dernier besoin avant de reprendre la route de Clermont et qu'il bataillait pour fermer les vantaux de la porte-fenêtre, le gnome l'avait interpellé d'une voix triste.

— Tu comptes me laisser moisir ici encore longtemps copain ?

Tu sais très bien qu'elle ne supporterait pas ta présence dans l'appartement et je ne pense pas qu'un nouveau séjour à la cave soit ce que tu souhaites.

— Qui te parle de ça ? Moi, c'est avec toi que je veux être. Tu pourrais très bien me garder à tes côtés dans tes tournées. Ce n'est pas la place que je prends.

Le nabot avait raison. Rien n'empêchait Xavier de le trimbaler avec lui. Ne faisait-il pas partie de la maison au même titre que les autres statuettes ? Numéro 8 était même le plus Frachon d'entre elles et pouvait revendiquer ce droit en toute légitimité.

— Pas besoin d'en parler à qui que ce soit, ça peut très bien rester entre nous. Et puis je passerai inaperçu. Un nain de jardin dans une voiture de représentant en nains de jardin, quoi de plus normal. Avoue-le, tu en crèves d'envie toi aussi.

Tu oublies Angèle. Comment justifier le fait de te ramener sur Clermont ?

— Fastoche copain. Dis-lui que la maison mère n'ayant plus de Numéro 8 en magasin, elle est à la recherche d'un exemplaire car ils envisagent de relancer la collection.

Ouais, ça se tient.

Xavier avait arraché la statue à la terre grasse du jardinet, la balançant avec précaution d'avant en arrière comme on le fait d'une dent de lait pour l'extraire de sa gencive. Ses pieds d'argile lavés à grande eau, essuyé puis emmitouflé de papier bulle, Numéro 8 avait rejoint le coffre entre la valise et la cagette de courgettes qui s'y trouvaient déjà.

Je te transférerai dans le break de la société demain matin. En attendant, tu devras passer la nuit là-dedans.

— Pas de souci, je n'ai pas de gros besoins en oxygène.

Le rire gras du gnome avait traversé l'épais film de plastique pour retentir à ses oreilles. Pendant le trajet, Angèle avait commenté les justifications de son mari.

— Je ne vois pas vraiment l'intérêt commercial de rééditer des vieilleries pareilles.

— En période de crise économique, il a été démontré qu'un profond sentiment de nostalgie animait souvent l'acte d'achat des consommateurs. La boîte veut surfer sur cette vague du retour à l'ancien et côté vieillerie, les grands stratèges de Céramix ont pensé que Numéro 8 constituait la meilleure représentation du passé Frachon.

T'as vu mon p'tit pote comment je m'en tire bien!

— César du meilleur acteur: Xavier Barthoux dans son rôle du mari qui ment à sa femme. N'en fais pas trop quand même, lui avait conseillé Numéro 8 depuis la malle arrière.

— Finalement, je ne suis pas mécontente de ne plus l'avoir devant la maison, avait avoué Angèle. Je ne te le disais pas mais il n'a jamais cessé de me faire peur, tu sais. Toujours l'impression qu'il m'épiait caché au milieu de ses rhododendrons.

— J'adore ta femme.

Reconnais tout de même que ta tronche ravagée n'est pas ce qu'il y a de plus avenant.

— Et merci pour le côté vieillerie. Heureusement que je ne suis pas susceptible, je pourrais me vexer.

Prends plutôt ça pour un compliment. Quand on voit ce qui sort actuellement sur le marché, il y a de quoi pleurer. Les Chinois s'apprêtent à nous en pondre un avec un bonnet clignotant en forme de tour Eiffel, tu la crois celle-là!

— Pauvres frangins.

Le coup de klaxon qui retentit dans son dos tira Xavier de ses pensées et déclencha une nouvelle rafale d'insultes de la part de Numéro 8. Depuis leur départ de l'usine, le nabot prenait un malin plaisir à invectiver pour un oui pour un non les autres automobilistes.

— Si t'es pressé, prends l'avion, tête de nœud!

Eh, du calme, je ne t'ai pas emmené avec moi pour t'entendre râler toutes les cinq minutes. Garde ton énergie pour le boulot, n'oublie pas ce qu'a dit

Dumoulin tout à l'heure. Il compte sur tous les collaborateurs pour redresser la barre.

Le directeur avait convié toute l'équipe à la réunion hebdomadaire du lundi matin, Mô incluse. Une heure à leur expliquer, courbes à l'appui, que l'exercice du premier semestre était catastrophique. Chiffre d'affaires en chute libre, charges en hausse, rentrées en baisse. Une heure de lamentation à préparer le terrain avant de composer le numéro de la ligne directe avec la maison mère. Une voix à la fois d'outre-tombe et d'outre-Atlantique était tombée du haut-parleur pour leur baragouiner des mots tels que *market down, too expensive, costs too high, bad cash* avant de conclure par *no results bonus and no holidays bonus*. Pas besoin de traducteur. Dumoulin avait repris la main. Il et ils comptaient sur tous les collaborateurs pour en mettre un bon coup. La prime de Noël, si elle demeurait programmée, était bien évidemment elle aussi susceptible de passer à la trappe si la courbe ne retrouvait pas un sens ascendant avant la fin de l'année. Mô était restée aussi impassible que les sujets qu'elle peignait, Lhuillier avait le visage de quelqu'un qui vient d'apprendre la perte de deux proches le même jour et qu'un troisième se trouvait en fin de vie. Quant à Xavier, il avait arboré ce drôle de sourire qui faisait de plus en plus flipper son patron.

Cette semaine, le plan de tournée les emmenait dans le Sud-Ouest. Le commercial alluma la radio.

Radio Nostalgie, ça te va ? Pas trop moderne pour tes oreilles de nain le plus représentatif de la vieillerie frachonnaise ?

— Oh ça va. Et puis je ferais dire à môssieu qu'étant né en 76, je suis plus jeune que lui alors il est certainement mieux placé que moi pour parler de vieilleries.

Dans le poste, une astrologue crachotait les horoscopes à la chaîne. Xavier se demanda si les nains de jardin avaient aussi droit à un signe astrologique.

Tu es de quel mois ?

— Démoulé début juin 76, l'année de la grande sécheresse.

Alors on est Gémeaux tous les deux.

« Natifs du signe des Gémeaux. Des rencontres fortuites pourraient transformer votre vie. Sachez vous fier aux signes, là se trouvera peut-être la clé de votre réussite. »

Tu entends ça ? Il faut qu'on apprenne à se fier aux signes si on veut réussir.

Le chanteur déchaîné d'AC/DC se substitua à la voyante, s'arrachant les cordes vocales sur *Highway to Hell*. Xavier et Numéro 8 reprirent le refrain en cœur et à tue-tête.

I'm on the highway to hell

On the highway to hell
Highway to hell
I'm on the highway to hell

Les derniers riffs retentirent dans l'habitacle au moment où le panneau bleu et blanc annonçait la bretelle d'entrée de l'autoroute. Tout sourire, Xavier engagea le break sur l'A89. Suivre les signes. *The highway to hell*, l'autoroute vers l'enfer, avec au bout, Raoul Martinet.

11

Raoul Martinet incarnait la quatrième génération d'une famille où on était quincaillier de père en fils. Fort d'être le plus ancien client de chez Frachon, le bonhomme ne manquait jamais de rappeler à Xavier lors de ses passages à la quincaillerie de Brive-la-Gaillarde les privilèges que légitimait sa doyenneté. Il appartenait à cette race de commerçants arc-boutés sur des habitudes ancestrales, un de ces dinosaures pour lesquels toute concession au progrès aurait été synonyme de fin de règne. L'homme travaillait à l'ancienne, comme son père, son grand-père et son arrière-grand-père avant lui. Unique trace de modernité, l'ordinateur posé sur un coin du bureau et dont l'écran poussiéreux et continuellement éteint n'avait pour toute fonction que celle de servir de support à d'innombrables post-it. Martinet ne jurait que par les cahiers à spirales sur lesquels il transposait tout de son écriture serrée. Son obstination à combler coûte que coûte chaque espace vide de marchandise avait fait du magasin une caverne d'Ali Baba où il fallait se contorsionner pour circuler dans les rayons. Un bric-à-brac qui faisait dire aux gens du coin qu'on pouvait trouver de tout chez Martinet, même ce qu'on n'y cherchait pas. Vaisselle, bibelots, luminaires, peintures, outillage, électricité, plomberie, papiers peints, pelles à neige, barbecues, et si parmi tous ces articles hétéroclites, manquait l'objet de vos désirs, le propriétaire des lieux se faisait un plaisir de vous le commander aussitôt. Un sentiment d'abondance rassurant se dégageait d'entre les murs de la quincaillerie. Passer la porte du magasin, c'était pénétrer dans les cales pleines à craquer d'un vaisseau qui traversait les époques et les tempêtes sans jamais dévier de son cap avec cramponné à la barre six jours sur sept son capitaine au long cours Raoul Martinet.

Devant l'impossibilité de trouver une place libre dans les ruelles de la ville, Xavier jeta son dévolu sur un emplacement réservé aux livraisons. Les courroies du sac à dos pesaient agréablement sur les épaules du commercial tandis qu'il remontait le trottoir en direction de la quincaillerie. Glissé à l'intérieur du sac, Numéro 8 brinquebalait au rythme de sa marche. Seuls le bonnet et les yeux dépassaient à l'air libre. Pas une fois l'incongruité de ce sac de randonnée Quechua avec son élégant costume anthracite de représentant n'interpella Xavier. Ce matin, pendant le transfert de la statuette dans le break, la terre cuite lui avait semblé plus lisse au toucher que la veille, comme si la surface grêlée et écaillée s'était régénérée pendant la nuit. Le petit corps diffusait à présent sa chaleur au travers de l'épais tissu du sac à dos, juste entre ses omoplates. Il pouvait sentir le cœur du gnome battre contre sa colonne vertébrale. Cela était bon, même si sa raison lui dictait qu'un objet en terre cuite ne pouvait en aucun cas dégager de chaleur ni posséder un quelconque muscle cardiaque.

Xavier perçut tout de suite que quelque chose clochait lorsqu'il franchit la porte du magasin. Alors que le carillon tintinnabulait au-dessus de sa tête, il se figea sur le paillasson vert gazon. Un détail faisait tache dans le paysage, un détail qui faisait hérisser les poils de ses avant-bras sans qu'il réussisse à en déterminer la nature. La voix murmurée de Numéro 8 s'insinua dans son oreille.

— Les signes, copain, la dame de l'horoscope a dit de chercher les signes.

Xavier fouilla du regard le tableau exposé devant lui sans parvenir à déceler l'origine de son trouble.

Je ne vois rien.

— C'est normal qu'il se marre comme ça, Raoul ?

Le nabot venait de mettre le doigt sur l'anomalie. Jamais le représentant de Céramix n'avait vu le quincaillier sourire ainsi. Les deux canines en or qui brillaient de tout leur métal entre les lèvres violacées du bonhomme donnait à ce sourire des airs de prédateur. Xavier rejoignit d'un pas résigné le commerçant vissé derrière sa caisse enregistreuse.

— Barthoux, je ne vous attendais plus. On avait dit 11 heures.

En plus d'être inamical, le ton de Raoul Martinet était fielleux.

— Pas facile de se garer pour venir chez vous.

— Si vous venez pour me vendre les mêmes cochonneries que la dernière fois, ce n'est pas la peine, vous pouvez les remballer. D'ailleurs vous allez me faire le plaisir de reprendre vos Nano'Vibro révolutionnaires.

Ce disant, il déposa sur le comptoir une dizaine de nains à bonnet vibrant et clignotant.

— J'ai deux clientes qui ont eu des problèmes, vous m'entendez Barthoux ? Deux. Sur piles, le bonnet clignote dix minutes et puis s'arrête. Sur secteur, ça chauffe dangereusement. Madame Thoiry qui est une excellente cliente m'a même fait remarquer que le sien avait le derrière brûlant après seulement cinq minutes de fonctionnement en position vibreur.

— Un bonnet qui clignote, je peux encore comprendre le concept mais qui vibre, quel est le projet au juste, copain ? questionna naïvement Numéro 8. C'est pour éloigner les taupes ?

Il est des nains destinés à des jardinets beaucoup plus intimes et réduits que celui que tu as fréquenté.

— Non, j'le crois pas ! Pauvres frangins.

— C'est pas au vieux Martinet qu'on peut la faire, éructa le marchand. Des représentants, j'en reçois tous les jours et ce ne sont pas les démarcheurs en mal de clientèle qui manquent par les temps qui courent alors dites-moi ce que compte faire la maison Frachon pour me dédommager de tout ça avant que je m'adresse à un autre fournisseur ? Et ne me dites pas que vous ne pouvez rien faire, ça, je ne veux pas l'entendre. Je suis déçu vous savez Barthoux, je vous avais jusque-là toujours tenu en bonne estime pour vos compétences, mais depuis quelque temps, je trouve que ça manque un peu de sérieux.

Les mêmes mots que Dumoulin, à peu de chose près. Même s'il comprenait le mécontentement du commerçant, une profonde lassitude envahit Xavier. Son devoir, il le savait, consistait à faire preuve d'empathie, à tenter une médiation, négocier un arrangement et calmer le jeu sans attendre en jouant de diplomatie et repartir sur des bases saines. En un mot, tendre la joue et faire carpette. Ce vieux renard de Martinet n'attendait que ça, ça crevait les yeux. Il lissa sa moustache tandis que le quincaillier lancé dans sa diatribe n'en finissait plus de lui cracher au visage son exaspération. Le gnome s'agita dans le sac à dos.

— Pour qui il se prend à te crier dessus comme ça ?

Pour le roi des quincailliers.

— Roi ou pas roi, ça ne lui donne pas le droit de te traiter comme le pire des voleurs, copain.

Numéro 8 avait raison. Alors, pour la première fois depuis qu'il faisait ce métier, Xavier ouvrit les vannes qui étaient parvenues jusqu'à présent à contenir son ras-le-bol. Il posa le carton des Blanche-Neige à ses pieds, se redressa et coupa la parole à Martinet dont les joues couperosées étaient passées du violacé au rouge vif.

— Vous me faites chier Martinet.

— Pardon ? s'égosilla le commerçant stoppé net dans son élan.

— Tu as très bien entendu mais je vais te le répéter rien que pour le plaisir : tu me fais chier Martinet. Tiens, tu peux même la noter dans un de tes pauvres cahiers à spirales celle-là, ça te fera un souvenir : *Lundi 11 heures 16, Barthoux de la maison Céramix m'a dit « Tu me fais chier Martinet »*. Je vais te la reprendre ta camelote, et puis on va te la rembourser, avec dommages et intérêts s'il le faut, histoire de ne plus avoir à entendre le vieil emmerdeur que tu es geindre et attendre de ma part courbettes et séances de léchage de pompes sous prétexte que monsieur est le plus ancien client de la maison. Et en ce qui concerne tes branleurs à bonnet qui bouffent des piles et qui chauffent du croupion quand ils sont sur secteur, je t'invite à aller expliquer ça aux Américains qui les inventent et aux Chinois qui les fabriquent parce que perso, j'en ai plus rien à cirer.

Xavier prit une profonde inspiration. Il se sentait dans le même état de soulagement que s'il venait de satisfaire une envie d'uriner longtemps retenue. Plus que les propos eux-mêmes, le ton étonnamment calme du représentant affola le commerçant.

— Mais vous êtes fou, Barthoux, vous n'êtes pas dans votre état normal !

— Qu'est-ce que tu connais de mon état normal, Martinet ? T'es psychologue en plus d'être quincaillier ? Tu vois, aujourd'hui, la dame de l'horoscope m'a dit que j'allais faire une rencontre fortuite qui allait transformer ma vie. Eh bien je suis en train de me demander si cette rencontre fortuite, ce ne serait pas toi, Martinet. T'en penses quoi ? Tu te sens comment dans le rôle de la rencontre fortuite ?

— Je ne comprends pas de quoi vous voulez parler. Laissez-moi maintenant, s'il vous plaît. Écoutez, c'est bon, je garde les Nano'Vibro mais allez-vous-en.

— Oh ! ne t'en fais pas, on va partir. Mais avant de quitter ce bordel sans nom qu'est ton magasin, permets-moi de te présenter quand même nos toutes nouvelles Blanche-Neige puisqu'on vient de se taper moi et mon pote ici présent plus de deux heures de route rien que pour ça.

Ce disant, Xavier tira un exemplaire du carton de douze posé à ses pieds.

— Comment tu la trouves, Martinet, la Blanche-Neige ? Elle est à ton goût ?

— Bien, elle est bien, balbutia le quincaillier sans même jeter un regard au modèle présenté, trop occupé qu'il était à chercher des yeux ce pote auquel le commercial venait de faire allusion.

— Dis donc, elle ne va pas s'ennuyer l'anorexique avec tous tes Nano'Branleurs tendus du bonnet. Pour les lolos, si tu juges qu'il n'y en a pas assez, je t'invite à faire une réclamation auprès des chinetoques, nous on n'y est pour rien. Bon, comme je ne pense pas qu'on va se revoir de sitôt, je vais jouer les grands seigneurs et t'offrir toutes les Blanche-Neige ici présentes eu égard à ta fidélité envers la maison Frachon. Tu es content ?

— C'est-à-dire que... oui, je suis content.

— Plus fort, Martinet, on a rien entendu.

— Oui, je suis content.

— Bien mais avant, on va quand même vérifier ensemble qu'elles ne souffrent pas de quelconque malfaçon, qu'est-ce que t'en penses, Raoul ?

Raoul ne pensait plus rien, sonné par toute cette folie qui déferlait dans son magasin.

— Malfaçon, oui.

Xavier sortit une à une les onze Blanche-Neige restantes qu'il aligna avec soin sur le comptoir aux côtés de la première. Il s'empara de la plus proche.

— Alors, voyons celle-là. Aïe, aïe, aïe. Qu'est-ce que tu vois sur celle-là, Raoul ? interrogea le représentant en collant le socle sous les yeux de Martinet.

— Rien, je vois rien.

— Mieux que ça, Raoul, regarde mieux que ça. Tu vois quoi là ?

— Une fente ?

— Une fêlure, Raoul, une putain de saloperie de fêlure. Et tu penses que ça va être vendable, une Blanche-Neige avec une fêlure pareille ? Qu'est-ce que t'en dis ?

— Eh bien, oui, enfin non, pas vraiment, non.

Xavier balança par-dessus son épaule la statuette qui explosa bruyamment sur le sol carrelé du magasin. Il saisit dans la foulée un deuxième exemplaire.

— Voyons voir celle-ci. Eh merde, pas de chance, regarde, tout pareil.

— Oui, mais c'est pas grave, on peut quand même…

— Tut tut tut, pas de ça chez nous, Martinet. Tu ne vendrais tout de même pas de la marchandise daubée à tes clients, Raoul, pas toi ?

La Blanche-Neige rejoignit sa sœur dans un fracas épouvantable. Avec application, Xavier ausculta les dix suivantes, faisant à chaque fois constater le défaut à un Martinet au bord de l'apoplexie avant de pulvériser méthodiquement les figurines en plâtre les unes après les autres. Une myriade d'éclats blancs constella bientôt le sol autour du comptoir. Attirés par le vacarme, les rares clients présents dans le magasin étaient sortis timidement des allées et trottinaient vers la sortie, effrayés à la vue du massacre.

— Raoul, ce fut un plaisir, vraiment.

Martinet saisit avec crainte la main tendue. Au moment de quitter les lieux, le représentant se retourna et tendit l'index en direction du quincaillier terrorisé.

— Et surtout n'oublie pas Martinet : les Américains et les Chinois t'ont à l'œil.

12

L'écœurement succéda rapidement à l'euphorie après que Xavier eut quitté la quincaillerie. L'exercice l'avait vidé. La violence en s'emparant de lui avait détruit le peu de conscience professionnelle qui restait en lui, une conscience pulvérisée aussi sûrement que les Blanche-Neige de plâtre sur le sol carrelé de ce pauvre Martinet. Il s'arrêta au milieu du trottoir, à demi nauséeux. On ne foutait pas en l'air impunément des années de pratiques commerciales sans subir quelques effets secondaires. Tandis qu'il réajustait les bretelles du sac à dos, il lui sembla que Numéro 8 pesait beaucoup plus lourd que les quatre kilos de terre cuite qui le composaient.

— Le poids du deuil sur mes épaules, copain.

De quel deuil tu veux parler ?

— De celui de ton boulot, de ta voiture de fonction, de ton salaire, de ton train de vie, de ta position sociale. Tu te doutes bien que ton petit pétage de plomb ne va pas être sans conséquences. *Highway to Hell*, copain, te voilà engagé sur l'autoroute de l'enfer et va falloir passer au péage.

La raison dictait de retourner voir Martinet pour se confondre en excuses mais le gnome étouffa dans l'œuf toute idée de reddition.

— On ne fait pas demi-tour sur une autoroute.

L'enfer donnait soif. Xavier s'engouffra dans la première brasserie venue et commanda deux demis pression. Angèle n'aimait pas le voir boire des bières, elle trouvait cela vulgaire. Peut-être était-ce justement parce qu'elle trouvait cela vulgaire qu'il aimait sentir la caresse du houblon sur son palais. Chaque bière avalée lui donnait le sentiment de se rouler un peu dans la fange. Il fit teinter les verres l'un contre l'autre devant le regard suspicieux du serveur.

À Martinet, mon pote.

— Et aux douze innocentes victimes tombées au champ d'honneur, ajouta Numéro 8.

Xavier retrouva l'air frais du dehors, quelque peu étourdi par l'alcool. La silhouette bleu foncé qui tournait autour du break plus haut dans la rue lui fit dire que les rencontres fortuites pour cette journée n'allaient pas se limiter à Raoul Martinet. Il remonta à grands pas le trottoir tout en hélant le policier municipal.

— S'il vous plaît, hep, attendez !

— Vous êtes le propriétaire du véhicule ?

— Oui, enfin non, c'est celui de ma boîte mais j'ai fini, j'allais repartir.

— Si vous saviez le nombre de fois que j'entends cette phrase dans une journée mon pauvre monsieur. Je crois même deviner ce que vous allez me dire. Que vous n'en aviez que pour deux minutes et patati et patata. Mais moi, qu'est-ce que je constate, moi ? Que ça fait beaucoup plus que deux minutes que votre véhicule est stationné sur un emplacement strictement réservé aux livraisons et que vous n'avez même pas eu la décence de glisser une pièce pour payer le stationnement.

Xavier fut tenté de lui faire remarquer que s'il s'était mis sur un emplacement réservé aux livraisons, c'était aussi pour ne pas avoir à payer ledit stationnement.

— D'ailleurs, est-ce que vous aviez seulement quelque chose à livrer ?

— Douze jeunes filles pour chez Martinet. Des croqueuses de pommes. Elles sont toutes restées sur le carreau. Dans le fond, c'est pas plus mal vous savez parce qu'avec tous les bonnets vibreurs qui tournaient autour, elles ne seraient pas restées blanches bien longtemps les princesses.

La bouche du policier béa quelques secondes. Il dut s'ébrouer pour retrouver le fil de ses pensées.

— Oui, bon, en attendant, vous avez joué, vous avez perdu, désolé. Je me vois dans l'obligation de vous verbaliser et estimez-vous heureux que je n'aie pas appelé la fourrière, ça vous aurait coûté beaucoup plus cher que trente-cinq euros.

— Il a des pellicules plein l'uniforme, copain, lui souffla Numéro 8 tandis que l'agent sortait son carnet à souche.

Xavier chaussa ses demi-lunes pour un examen plus approfondi. Une quantité impressionnante de pellicules enneigeait les épaules du fonctionnaire de police.

— Le stress, diagnostiqua Xavier en souriant.

— Pardon ?

Le policier sur la défensive avait reculé d'un pas, toutes alarmes allumées. Un type en train de se faire verbaliser n'avait aucune raison d'afficher un sourire pareil.

— Les pellicules sur vos épaulettes, c'est dû au stress, à tous les coups.

— Non mais ça suffit monsieur, je vais vous demander de circuler maintenant.

— Moi je dis ça, c'est pour aider. Et je mettrais ma main au feu que vous souffrez aussi de brûlures d'estomac, pas vrai ?

— Mais je ne vois pas en quoi mes problèmes gastriques vous regardent.

— Bingo, j'en étais sûr, pellicules égale brûlures d'estomac, l'un ne va pas sans l'autre, ça ne loupe jamais, les deux font la paire. Et du psoriasis, vous en faites du psoriasis ? Si vous n'en faites pas encore, vous en ferez un jour, c'est sûr, vous avez le terrain idéal pour le psoriasis.

— Bon, dégagez ou j'appelle la fourrière.

— C'est bon, on s'en va mais avant...

Xavier fouilla dans le vide-poche et en ressortit une plaquette de Rennie qu'il glissa dans la main du policier.

— Prenez ça, j'ai comme l'impression que vous en avez plus besoin que moi.

Dépité, l'agent regarda le break tourner au coin de la rue. Il reporta son attention sur les comprimés. Il venait de dire à ce cinglé de déguerpir sans même lui avoir dressé la moindre contravention. La première remontée gastrique de la journée choisit cet instant pour partir à l'assaut de son œsophage.

La cafétéria du supermarché était bondée. Armé d'un plateau et de couverts, Xavier se glissa dans la queue. Il craqua pour une entrecôte sauce roquefort accompagnée de pommes allumettes et d'un mille-feuille en dessert malgré les réprimandes de Numéro 8 qui s'abattirent sur son dos tandis qu'il approchait de la caisse.

— Pas bien, copain. Si Angie te voyait.

Passé la cinquantaine, les frites étaient devenues incompatibles avec son taux de cholestérol, tout comme le sucre avec ses triglycérides. Angèle veillait au grain, le gavait de légumes verts et de poissons tous les week-ends, consciente que son gourmand de mari ne manquait pas pendant la semaine de céder à la tentation d'une viande en sauce ou d'une pâtisserie, voire des deux à la fois. Mais quand on venait de piétiner toutes les règles de bonne conduite commerciale, on pouvait bien se permettre quelques écarts alimentaires et c'est sans remords aucun que Xavier ajouta sur son plateau une demi-bouteille de Madiran.

C'est fête aujourd'hui.

— Et après ça, on dit que c'est moi qui suis lourd, maugréa le nabot.

À son grand désespoir, il ne restait plus aucune table libre, seulement quelques places isolées de-ci de-là. Il s'invita aux côtés d'un couple de petits vieux sagement installés près d'une fenêtre. La femme, prévenante, maternait son époux d'une voix douce. Mange, ton plat va être froid, tu n'aurais pas dû prendre de pain, ta serviette, bois, tu n'as rien bu, fais attention à ta chemise, tu voudras un café ? Docile, l'homme répondait aux injonctions de son épouse attentionnée. Chacun de leur geste, de leur regard, de leur attitude, de leurs paroles, racontait un siècle de vie commune. Touchant et déprimant. Xavier se retint de leur dire d'arrêter, d'arrêter ça tout de suite.

— Toi et Angèle dans une vingtaine d'années, observa Numéro 8 sans cynisme aucun, constatant ni plus ni moins qu'une évidence.

Le gnome n'avait pas tort. Dans vingt ans, lui et Angèle ressembleraient à ce couple, lui ressemblaient déjà sous certains aspects, enlisés dans leurs habitudes. Une existence rectiligne sans réelles surprises, balisée par une succession de scènes écrites à l'avance. Angie et Xavier se marient, Angie et Xavier font un enfant, Angie et Xavier accèdent à la propriété, Angie et Xavier vont à la plage, Angie et Xavier partent aux sports d'hiver, Angie et Xavier acquièrent une résidence secondaire, Angie et Xavier achètent un chihuahua. Et dans vingt ans, Angie et Xavier mangent à la cafétéria. Il but une grande gorgée de vin et frissonna. Après tout, leur histoire d'amour n'avait-elle pas débuté elle aussi dans une cafétéria, celle bruyante d'un resto U, en mai 81, au lendemain de l'élection de Mitterrand ? Lui, étudiant en IUT de commerce, euphorique à l'idée d'un changement porteur d'espoir, elle, en prépa littéraire, consternée par l'arrivée de la rose au pouvoir. La jeune fille esseulée dans son coin l'avait touché. Une rencontre débutée timidement autour d'un café, se transformant en un pugilat oratoire enflammé avant de se terminer trois expressos plus tard en un baiser tout aussi enfiévré tandis que la voix lancinante de Mick Jagger égrenait *Angie* depuis la sono au-dessus du bar. Ils en riaient encore, parfois. Comment avaient-ils pu transformer une passion torride en cette relation normalisée qui les liait aujourd'hui, un foyer dans lequel ne brasillaient plus que quelques escarbilles à condition d'y remuer les cendres ? Il remplit de nouveau son verre et piocha une première frite. Au-dessus des caisses, la lettre R du bandeau lumineux SELF-SERVICE clignota deux fois avant de s'éteindre définitivement. Numéro 8 ne put s'empêcher de relever le jeu de mots. SELF-SE VICE.

— Tu te fais du mal, copain.

Les signes, encore et toujours les signes.

13

Le téléphone vibrait contre sa cuisse. Xavier avait dormi près de deux heures recroquevillé en chien de fusil sur la banquette arrière du break, deux heures à digérer ses frites et à cuver son vin. Allongé sur le siège passager, Numéro 8 tiré de sa léthargie parla d'une voix pâteuse qui alla se perdre dans le plafonnier.

— À tous les coups, c'est Dumoulin.

Xavier s'assit, sortit le téléphone de sa poche et grimaça à la vue du nom du correspondant.

Bingo.

Il décrocha et mit le haut-parleur afin que le gnome profite de la conversation.

— Putain Barthoux, qu'est-ce que vous foutez ? Vous êtes où ?

— On est où ? On est où là, attendez.

Il essuya de la main la vitre embuée.

— Ah ! Géant Casino de Malemort-sur-Corrèze, sur le parking.

— Mais bordel, qu'est-ce que vous foutez là ? J'ai le responsable du Granipouss de Périgueux qui n'arrête pas de m'appeler depuis tout à l'heure. Vous aviez rendez-vous à 14 heures 30, il est 16 heures passées. Et vous aviez encore celui d'Angoulême à faire après ça. Et Martinet vient de m'incendier au téléphone, il était en état de choc. C'est à peine si j'ai compris ce qu'il me disait tellement il était furibond. Qu'est-ce qui s'est passé exactement avec Martinet ?

— Qu'est-ce qu'on peut dire sur Martinet ? Ça s'est bien passé ou pas bien passé avec Raoul ? Tu dirais quoi toi ?

— Mais à qui vous parlez Barthoux ? Il y a quelqu'un avec vous ?

— Écoutez Dumoulin, vous me fatiguez avec vos questions. À partir d'aujourd'hui, sachez que j'emmerde tous les Martinet, les Granipouss, les Jarditrucs et autres Greenbidules de France et de Navarre, mettez-vous bien ça dans le crâne, Dumoulin.

— Non mais vous débloquez ou quoi ? Là vous dépassez les bornes mon p'tit vieux.

— Il m'appelle son p'tit vieux, c'est pas mimi ça ?

— Mais enfin, qui est avec vous ? Vous savez que vous n'avez absolument pas le droit de véhiculer une tierce personne dans la voiture de la société.

— Je crois qu'on va arrêter là notre coopération, Dumoulin. J'ai à partir de maintenant des choses beaucoup plus importantes à faire que de jouer les entremetteuses pour Céramix. Ils peuvent se les garder leurs nains bien rougeauds tout comme il faut, ceux avec pelle, avec pioche, qui poussent des brouettes, qui font pipi debout, caca assis, qui brillent la nuit, qui branlent du bonnet, qui chantent quand on passe devant, tout ça, j'en ai soupé, vous comprenez Dumoulin ? J'ai charge d'âme à présent (il fit un clin d'œil à Numéro 8), une fissure à m'occuper, des rencontres fortuites à faire et des signes à suivre.

— Vous ne savez plus ce que vous dites, mon pauvre ami.

— Je ne suis ni pauvre ni votre ami, Dumoulin.

— Je vous ordonne de revenir le plus vite possible.

— Si c'est un ordre. Mais les excès de vitesse seront pour votre pomme.

Xavier mit fin à la conversation et réfléchit aux options qui se présentaient à lui. Rentrer à la maison pour avouer à Angie qu'il venait de tout plaquer était au-dessus de ses forces. Pas envie de se lancer dans des explications que de toute façon elle ne comprendrait pas.

— Elle n'est pas obligée de savoir tout ça, copain. On a Alzon. Rien ne nous empêche d'aller passer la semaine là-bas en attendant vendredi. Et vendredi, tu rentres sur Clermont la fleur au fusil pour la récupérer comme d'habitude et retourner à la résidence secondaire passer un petit week-end peinards en amoureux comme si de rien n'était. Ni vu ni connu.

Le nabot avait raison. Ils avaient Alzon. L'idée de passer une semaine de farniente dans sa maison des Cévennes le ragaillardit. Il remonta à toute allure l'A89 en direction de Clermont, déclenchant flash sur flash sous les encouragements de Numéro 8. Une heure quinze suffit pour parcourir les cent quatre-vingts kilomètres. Dumoulin accourut à sa rencontre.

— Ça va vous coûter cher, Barthoux. Sachez que vous êtes d'ores et déjà mis à pied et ce n'est plus la peine de vous repointer ici dans les jours qui viennent. On vous tiendra informé des suites données mais je crains pour vous qu'au final, ce soit une sanction beaucoup plus définitive qu'une simple mise à pied. J'espère que vous êtes bien conscient du pétrin dans lequel vous vous êtes fourré, Barthoux.

Xavier ne jugea pas utile de répondre. Sans un regard pour son directeur, il attrapa Numéro 8 qu'il transféra dans sa voiture personnelle. Il le déposa sur le siège passager et lui passa la ceinture de sécurité autour de la taille sous la mine ahurie de Dumoulin. Il jeta les clés du break à son patron et quitta le parking sur les chapeaux de roues. En chemin, il téléphona à Angèle, comme tous les soirs.

— Ton hôtel est bien ?

— Ça va, mentit Xavier. Le rideau de douche est un peu cradingue mais j'ai connu pire.

— Tu as une drôle de voix, ça ne va pas ?

La perspicacité de sa femme le désarçonna. Elle mit son hésitation sur le compte de la fatigue.

— Là, je n'ai qu'une envie, c'est de me coucher, j'ai eu une journée un peu compliquée tu sais.

Numéro 8 gloussa.

— J'adore ton sens de la formule.

— Axel ne t'a pas appelé ?

Son fils lui téléphonait rarement. Il transitait en général par sa mère, passage obligé s'il souhaitait voir ses requêtes aboutir favorablement.

— Il aimerait qu'on renégocie le montant de son argent de poche. Je lui ai dit qu'on en reparlerait.

— Il faudrait peut-être aussi que vous pensiez à renégocier ses notes, à ton fiston, fit remarquer le gnome.

Numéro 8 n'avait pas tort, Axel était entré en fac comme on part au Club Med, avec pour seule idée en tête celle de s'amuser. Son champ lexical se limitait à celui de la fête et contenait les mots sortie, ciné, resto, pote, copine, des mots à des années-lumière de ceux comme révision, études ou examen. À se demander s'il assistait aux cours au vu de ses résultats.

— Pas la peine d'en discuter, c'est tout vu.

— Comment ça c'est tout vu ? suffoqua Angèle.

— Attends, on lui paie le studio, sa nourriture, toutes ses charges alors j'estime que les trois cents euros mensuels qu'on lui vire en plus sur son compte doivent amplement suffire à payer les extras de monsieur.

Il regretta sa véhémence. Le sujet de leur fils le poussait de plus en plus souvent à l'exaspération. Il n'avait pas vu Axel depuis près de deux mois et il se trouvait dans l'incapacité de dire si son fils lui avait manqué. Ce constat terrible l'ébranla. Deux étrangers fréquentant le même hôtel, voilà ce qu'ils étaient devenus, se côtoyant seulement aux heures des repas pour se regarder en chien de faïence, ne trouvant rien à se dire car ne parlant tout simplement pas le même langage. Depuis son entrée en fac, leurs relations s'étaient encore appauvries. Axel considérait son père comme un blaireau qui gagnait sa vie en vendant des nains de jardin, un gagne-petit sans autre ambition que celle de vivre son existence de petit bourgeois, un vieux con qui n'avait aucune idée de ce qu'était la vraie vie. Le jeune homme ne les accompagnait qu'en de rares occasions à Alzon. Xavier aurait aimé partager des moments d'intimité avec lui, essayer de pénétrer un peu le monde hermétique de ce fils qui lui échappait mais les frontières restaient closes. Par ses silences, Axel lui signifiait qu'il ne lui demandait rien d'autre que de se cantonner dans son rôle de père biologique. Une main nourricière, point barre. Fossé des générations, rejet de l'autorité, reniement familial, tout cela est dans l'ordre des choses, le rassurait Angie. Xavier ne comprenait rien à ce charabia de psychologue. La seule chose qu'il comprenait était que l'enfant qu'il avait aimé était mort, disparu à jamais dans le corps de ce grand échalas qu'était devenu Axel.

— On en reparle ce week-end.

— Écoute Angie...

— Raccroche !

Surpris par le ton véhément de Numéro 8, Xavier mit fin à la conversation.

— Okay, on en reparle.

— Un secret, le réprimanda le gnome après qu'il eut raccroché, tu entends, faut que ça reste un secret. Pas la peine de brailler sur tous les toits que tu vas bientôt pointer au chômage. Angèle le saura bien assez tôt.

Clairvoyance de nain de jardin. Il avait en effet été à deux doigts d'avouer à son épouse que l'argent de poche du fiston allait devoir être renégocié mais pas dans le sens désiré, vu le futur statut de chômeur de son papa. Et ce n'était pas les malheureux six cents euros glanés par Angie en prodiguant des heures de soutien scolaire à droite et à gauche qui maintiendraient le navire à flot.

Le clocher de l'église d'Alzon affichait 22 heures lorsqu'il gara la voiture dans la cour de la maison. Xavier n'avait pas menti à sa femme, son seul désir était de se coucher. Dans la chambre, il allongea Numéro 8 à la place de son épouse et s'étendit à ses côtés. Les draps propres embaumaient la lessive.

— N'attends rien de sexuel de ma part, plaisanta le nain.

Tu ne m'intéresses absolument pas, les petits gros barbus ne m'ont jamais attiré. En plus tu ne vibres même pas du bonnet.

Ils s'abrutirent de séries insipides jusque tard dans la nuit, Xavier jouant de la zappette sous les ordres du gnome. Il se sentait bien, vidé mais en paix. Il passa une dernière fois en revue toutes les chaînes à disposition et éteignit la télé. La fouine avait retrouvé le chemin du grenier et les berçait du bruit de ses déambulations. Des craquements inquiétants montèrent dans la nuit, se mêlant aux trottinements nerveux. De l'oreiller voisin, lui parvint la voix de Numéro 8 qui énonça ce qu'il savait déjà.

— La fissure, copain, c'est juste la fissure qui grandit. Elle n'en a pas fini avec toi.

14

Au réveil, Xavier enfila un vieux jogging et chaussa des baskets, trop heureux de ne pas avoir à emprisonner son corps et ses pieds dans un costume et des souliers inconfortables. Il récupéra le porte-bébé ventral d'Axel, objet fantôme qui prenait la poussière au fond du garage avec la poussette, la table à langer et la baignoire en plastique remisées là dans l'attente d'une deuxième naissance jamais venue. Une fois harnaché, il y installa Numéro 8. Ainsi sanglé, sa terre cuite au plus près de la peau, le gnome dardait sa langue d'argile à hauteur d'oreille de son porteur. Ils passèrent la semaine collés l'un à l'autre tels des frères siamois, ventre contre ventre, à ne rien faire d'autre que lire, se promener, boire des bières, s'empiffrer de pizzas surgelées et se repasser de vieux vinyles sur la platine. À l'heure du coucher, Xavier dégrafait le porte-bébé, déposait le nain dans le lit, le bordait puis s'allongeait à ses côtés. Ils meublaient une partie de la nuit à écouter la petite squatteuse du dessus gambader sur le parquet du grenier entre deux manifestations de la fissure dont les craquements sourds ébranlaient la maison de la cave au faîte du toit. La lézarde n'avait plus grossi depuis qu'il avait marqué son extrémité supérieure d'un trait de feutre. Elle ne s'étendait pas, ne s'élargissait pas. Seul le joint de maçonnerie en séchant présentait quelques craquelures de-ci de-là.

— Elle se sait épiée, affirma Numéro 8. Elle ne va pas se montrer à toi sous son véritable jour. Tout ce raffut qu'elle nous fait la nuit n'est pas anodin, copain. Elle travaille en sous-marin, se nourrit des alvéoles des briques, s'ancre dans l'épaisseur du mur, plante ses griffes dans le ciment des fondations, à l'abri des regards, attendant le grand jour. Et quand elle estimera le moment venu, elle tombera le masque et ouvrira ta maison de bas en haut aussi facilement qu'un brise-glace fend la surface gelée du fleuve au sortir de l'hiver.

Tous les soirs, Xavier téléphonait à Angie, prenant chaque jour plus d'assurance dans ses mensonges, étonné de voir son jeu d'acteur leurrer la perspicacité de sa femme. Confortablement installé dans le fauteuil du salon, il se laissait dériver dans ses menteries au gré des improvisations, affirmait être tel soir à Angoulême, tel autre à Bordeaux, tel jour à Arcachon, Pau ou Bayonne, prenant soin de consulter sur son iPhone la météo des lieux énumérés avant d'appeler. Volubile, il en rajoutait sur la description des villes traversées, sur sa chambre d'hôtel, faisait un compte-rendu détaillé de ses tournées, poussant l'audace jusqu'à lister en détail des bons de commande fictifs.

— N'en fais pas trop, copain, lui susurrait à l'oreille Numéro 8. Elle va finir par se poser des questions. Tu ne lui en racontais pas autant quand tu bossais vraiment.

Ce rendez-vous téléphonique journalier le distrayait. La capacité à mentir à sa propre femme l'épatait. Il en jouait comme un bambin qui, découvrant la marche, s'amuse de ses propres pas.

Comme à son habitude, Hélène Aspic débarqua sans prévenir. Elle déboula le mercredi sur la terrasse tandis qu'il se prélassait en sirotant son Jack Daniel's. Il sursauta. Les hurlements de Robert Plant éructant *Whole Lotta Love* depuis la platine du salon avaient couvert les pas de la voisine.

— Il me semblait bien que j'avais vu la voiture. Vous ne m'aviez pas dit que vous étiez là pour la semaine. J'aurais su, je vous aurais pris du pain.

Une ride d'incompréhension barra son front à la vue du porte-bébé et de son contenu. Son ton se fit suspicieux.

— Angèle n'est pas là ?

La vieille avait posé la question sans quitter des yeux la drôle de sculpture harnachée contre le ventre de son voisin.

— Non, je suis venu seul. Pour tout vous dire Hélène, Angie n'est pas au courant de ma présence ici. Je lui prépare une surprise pour son anniversaire, une surprise qui nécessite beaucoup de préparatifs. Aussi je vais vous demander de garder le secret et de ne rien lui dire, je compte sur vous ?

Devant le silence dubitatif d'Hélène Aspic, Numéro 8 émit des doutes.

— Tu parles qu'elle va tenir sa langue, cette vieille bique.

— J'insiste Hélène, promettez-moi de ne rien dire, elle ne doit surtout pas savoir que je suis venu ici, c'est important pour moi, vraiment. Motus et bouche cousue.

Disant cela, Xavier avait saisi les deux mains épaisses et couturées de gerçures de la voisine. Une peau rêche de reptile qui le fit frissonner à son contact. Elle promit, reconnut que c'était rudement bien les surprises, une chouette idée même, que ça faisait toujours plaisir et que, juré craché, elle resterait muette comme une tombe. À voir ses yeux fouineurs et ses dandinements d'un pied sur l'autre, il était clair qu'Hélène n'avait à aucun moment avalé les couleuvres de son voisin. Elle prit congé et battit en retraite sans demander son reste.

— Elle caftera, tu as vu sa tête ?

Elle n'osera pas, pas si je reste présent aux côtés d'Angie. Il faudra juste éviter à tout prix qu'elles se retrouvent seules toutes les deux pendant le week-end.

Hélène Aspic tourna autour de la propriété la semaine durant, épiant chacun de ses faits et gestes, cherchant à découvrir ce que ce drôle de tandem pouvait bien mijoter.

Xavier consacra son vendredi au ménage. Soucieux d'effacer toute trace de son séjour, il passa l'aspirateur, récura les sols, vida la poubelle, porta les bouteilles vides à la déchetterie, fit laver les draps à la blanchisserie. Il se doucha, rasa la barbe qui avait colonisé joues et menton au cours de la semaine, tailla soigneusement sa moustache puis passa son costume de représentant. Il emballa Numéro 8 dans son papier bulle et le déposa dans le coffre de la voiture. Il expliquerait à Angie que les créateurs de Céramix ayant pris toutes les mesures et photos nécessaires pendant la semaine, ils lui avaient restitué son exemplaire. Après avoir fermé les volets, il prit la route en direction de Clermont. Angie et lui prirent le temps de souper à l'appartement, ce qui lui permit de souffler avant de refaire le trajet en sens inverse. Simuler l'impatience de retrouver la résidence secondaire à peine quelques heures après l'avoir quittée ne fut pas des plus aisés. Au moment de franchir la porte, Xavier passa en revue pour la énième fois tous les indices susceptibles de trahir son passage. Évier débarrassé de tout poil intrus, vaisselle lavée et rangée, bouteilles vides et cartons de pizza portés à la déchetterie. Quelque chose le titillait pourtant. Il était passé à côté d'un détail sans parvenir à mettre le doigt dessus. Depuis le coffre de la voiture, Numéro 8 vint à son secours.

— Jogging, copain.

Quoi jogging ?

— Ton jogging, il me semble qu'il est toujours dans la corbeille à linge.

Il se revit avec effroi balancer machinalement le survêtement crasseux dans le panier le matin même. Récupérer le linge sale à la fin de chaque week-end était un rituel immuable pour Angèle et rien ne pourrait expliquer la présence de ce jogging puant roulé en boule au fond de la corbeille. Elle poserait des questions, il s'empêtrerait dans ses réponses.

— Bouge-toi !

L'injonction l'arracha à la torpeur qui le paralysait sur le perron. Tandis que sa femme versait une écuelle d'eau à Bella dans la cuisine, il se précipita vers la salle de bain le cœur battant, récupéra le survêtement et le jeta par le vasistas qui donnait sur l'arrière de la maison. À l'heure des derniers besoins du chihuahua, il récupéra le vêtement et le rangea sous l'établi au fond du garage avec les vieux chiffons. Il libéra par la même occasion Numéro 8, un Numéro 8 trop heureux de retrouver son jardinet pour le week-end.

Aux premiers bruits de trottinement, Xavier feignit de partager la surprise puis l'exaspération de sa femme. Elle est revenue, gémit Angèle en lui serrant le bras. Comme tous les soirs depuis une semaine, pensa Xavier qui sourit à la nuit. Au matin, un puissant coup de klaxon les arracha au sommeil. Le camion garé devant l'entrée de la maison piaffait d'impatience. Il avait complètement oublié la livraison du bardage. Encore en pyjama, il fit déposer les matériaux directement sur la terrasse, vérifia que le carton qui accompagnait les lames de bois contenait bien les vis et clous commandés ainsi que le pot de lasure et les brosses, signa le bon de livraison et régla le chauffeur. La vue de tout ce matériel réveilla en lui l'envie d'en découdre une bonne fois pour toutes avec la fissure. Il s'attaqua au chantier sitôt le petit-déjeuner avalé. La fixation des premiers tasseaux lui prit beaucoup de temps, une mise en œuvre laborieuse avant que les automatismes viennent peu à peu remplacer les tâtonnements hésitants. Tracer à l'aide de la règle, contrôler la verticalité avec le niveau, percer, cheviller, visser les tasseaux de trois mètres et renouveler l'opération tous les soixante centimètres sous les remarques cyniques de Numéro 8.

— Ah c'est sûr, une fois fini, ça devrait ressembler à quelque chose.

Tu ne vas pas commencer.

— Et puis surtout, Miss Fissure pourra tranquillement continuer son travail de destruction bien au chaud à l'abri des regards et des intempéries.

Xavier s'apprêtait à visser le sixième liteau lorsque la voix du gnome explosa dans son crâne.

— Fouine à dix heures !

Il tourna la tête et n'eut que le temps d'apercevoir la voisine tourner au coin de la maison, trottinant tel un animal furtif pour aller trouver Angèle. Il s'empressa de descendre de l'échelle pour accourir à la cuisine où son épouse proposait déjà un thé à Hélène Aspic.

— J'en prendrai bien un moi aussi chérie, une petite pause s'impose.

La course avait empourpré les joues de la vieille essoufflée par l'effort.

— Il a dû faire chaud ici cette semaine, dit Angèle en déposant une assiette de gâteaux sur la table.

Il s'attendait tellement à entendre un « Demandez à votre mari » que la phrase que prononça Hélène Aspic laissa Xavier bouche bée. La vieille éluda carrément la question de sa femme et parla sans le lâcher des yeux.

— Ah au fait, ça m'a trotté dans la tête toute la semaine Angèle, votre anniversaire, c'est ce mois-ci ou c'est en mai ?

Cette garce lui faisait comprendre qu'elle n'était pas dupe, que toutes les manigances de Xavier n'avaient rien à voir avec un quelconque anniversaire, que cette histoire de surprise ne tenait pas debout et qu'elle allait tout faire pour tirer ça au clair.

— Moi c'est en mai, Hélène. Ce mois-ci, c'est ma mère. D'ailleurs, vous ne nous verrez pas le week-end prochain, nous allons fêter ses quatre-vingt-deux ans dans leur maison de Cassis.

— Ah bon ? J'étais persuadée que c'était ce mois-ci, insista la voisine.

Xavier et Hélène Aspic se jaugèrent du regard, un duel muet au milieu des bruits de bouche, à grignoter leurs gâteaux secs et à siroter leur thé sans se lâcher des yeux. La tension était palpable. Angèle en fut gênée et rompit le silence.

— J'aimerais bien avoir sa forme à son âge. Et vous Hélène, vous allez sur combien ?

— J'aurai soixante-dix-huit le printemps prochain.

Voyant que Xavier ne les lâcherait pas, la voisine finit par rentrer au bercail. Il se remit au travail. Il passa encore tout le dimanche à percer, scier, visser, chaque nouvelle lame mise en place soustrayant un peu plus la fissure à la vue. Ils quittèrent Alzon en fin d'après-midi. La séparation d'avec Numéro 8, même s'il la savait provisoire, l'ébranla plus que de raison. L'abandonner seul dans ce jardinet humide lui faisait mal. Au moment de partir, il embrassa le haut du bonnet avant de laisser pour la nuit cette partie de lui-même au milieu des senteurs lourdes d'humus.

15

La semaine se déroula à l'image de la précédente. Farniente, musique, séries télé, pizzas, bières le jour, whisky le soir et, collé à lui dans le porte-bébé, un Numéro 8 qui égayait les journées de ses nombreux commentaires. Xavier dut se faire violence pour ne pas poursuivre la pose du bardage. Les grandes lames stockées au pied du mur n'attendaient que ça. Le jeudi, n'y tenant plus, il en avait saisi une pour la mettre en place sans la fixer, comme ça, juste pour voir. Mais tandis qu'il s'armait du tournevis, Numéro 8 l'avait tancé vertement.

— À quoi tu joues, là ?

Juste une.

— On dit ça et une fois lancé, on en pose une petite deuxième puis une troisième et ainsi de suite jusqu'en haut du mur. Et la prochaine fois qu'elle va venir ici, quel bobard tu vas bien pouvoir raconter à ton Angie ? Que pendant votre absence c'est la voisine qui s'est amusée à vous avancer un peu dans les travaux ?

Tel un gamin surpris la cuillère dans le pot de confiture, il avait reposé l'outil et retiré le clin. Chaque nuit, la fouine retrouvait le grenier, meublant le silence de ses déambulations. L'autre fouine aussi était revenue. Une fouine qui tournait autour de la propriété, épiant ses moindres faits et gestes. Pas un jour sans qu'il surprenne le bleu de la blouse derrière la haie ou l'éclat de sa chevelure permanentée dépassant du portail. Xavier hélait la vieille, l'invitait en gueulant à venir boire un petit thé, accourait parfois dans sa direction pour le seul plaisir de la voir déguerpir dans sa tanière. En quittant Alzon le vendredi, il ne put s'empêcher de klaxonner et de saluer de la main Hélène Aspic occupée à ramasser son linge.

La perspective de ce week-end à Cassis chez ses beaux-parents n'enchantait pas Xavier, loin s'en faut. Ils avaient passé les six heures de route dans une atmosphère glaciale après qu'Axel eut compris que sa requête concernant son argent de poche était rejetée.

Malgré un avocat de la défense des plus tenaces en la personne d'Angèle, Xavier s'était montré inflexible dans son rôle de procureur et la sentence était tombée, sans appel : pas d'augmentation de budget. Les Lacheneuil habitaient une maison cossue sur les hauts de Cassis. Robert et Suzanne, Roby et Suzy pour les intimes, partageaient leur temps entre mer et montagne, étant également les heureux propriétaires d'un chalet à Courchevel. Ils arrivèrent samedi en début d'après-midi. Xavier passait toujours en dernier lors de la séance d'embrassades. Cette fois encore, l'ordre fut respecté. Angie puis Axel, Bella et enfin lui, le gendre qu'on tolérait à défaut de l'apprécier. Robert Lacheneuil n'avait jamais caché sa désapprobation concernant le choix sentimental de sa fille pour ce type sans envergure. L'inimitié était réciproque. Roby symbolisait à lui seul tout ce que Xavier détestait chez un homme. Une suffisance démesurée, une très haute estime de lui-même, un attachement sans bornes aux convenances, le tout dans un esprit étriqué de catholique bon teint. Suzanne se complaisait à vivre dans l'ombre de son mari. Roby et Suzy avaient eu trois rejetons : Angèle, Édouard et Flocon, le caniche. Leur fils, ingénieur en aéronautique, habitait Philadelphie. Lorsqu'ils parlaient de Ed, leurs yeux s'allumaient. Ed, la fierté de ses parents, le frenchie qui avait réussi outre-atlantique, *God bless America!* Ce matin aux premières heures et malgré le décalage horaire, le bon fils qu'il était avait mis un point d'honneur à être le premier à embrasser sa mère via une liaison internet très haut débit. Pendant qu'Axel profitait de la piscine et qu'Angèle aidait Suzy en cuisine, Xavier se retrouva coincé en tête à tête avec Roby.

— Ça marche fort Céramix en ce moment ? Avec le business plan mis en place par les Américains et le savoir-faire industriel des Chinois, ça doit tourner.

L'homme ne savait parler qu'affaires et portefeuille boursier. Du haut de ses quatre-vingts ans, il avait encore toute sa tête et adorait en mettre plein la vue à son gendre avec toujours ce dédain à peine voilé. Robert Lacheneuil connaissait parfaitement la santé commerciale et financière de Céramix et la situation déplorable de l'entreprise lui donnait une occasion inespérée de placer son gendre en position d'infériorité. Pas dupe, celui-ci répondit d'un « ça va » laconique, attendant la suite avec une certaine fatalité mâtinée d'amusement.

— Ah, j'avais pourtant cru entendre que tout n'était pas si rose et que Céramix lançait une recapitalisation pour pallier une insuffisance de ses fonds propres.

Xavier sourit. Les vieux cons présentaient l'avantage d'être prévisibles.

— Pas au courant, non. À ma connaissance, le seul véritable problème qu'on ait connu dernièrement provenait d'une série de nains vibreurs auto-éclairant qui avaient une fâcheuse tendance à chauffer et qui ont malencontreusement incendié quelques chagattes du côté de Brive-la-Gaillarde mais tout est rentré dans l'ordre.

— Incendié quelques quoi… ?

— Quelques chagattes, Robert. Vous savez, la foufounette, la chatoune, le frizotin, le barbiquet, enfin l'étui à clarinette quoi, vous voyez de quoi je veux parler. Comment on appelait ça à votre époque? La chapelle? La boîte à plaisir? Robert? Houhou Robert.

Robert était perdu, sonné debout par les propos salaces de son gendre. Xavier en profita pour l'attraper par le bras.

— Robert, il faut que je vous avoue quelque chose d'embêtant: depuis deux semaines, j'ai une fouine dans le grenier.

— Une… ?

— Fouine dans le grenier.

— Vous avez consulté?

Xavier savoura le quiproquo. Il devina le rire de Numéro 8 à deux cent cinquante kilomètres de là dans son jardinet cévenol.

— Non, mais je pense qu'avec la 22 long rifle, ça peut s'arranger. Et Angie est d'accord avec moi.

Pan, et on n'en parle plus alors si vous pouviez me prêter votre arme pour quelque temps.

Horrifié, Robert recula.

— Mais enfin Xavier, il existe de nos jours des moyens beaucoup moins expéditifs que la carabine.

— Écoutez Roby, on en reparle, mais je crois vraiment que la 22 reste la meilleure solution pour régler le problème.

Quand vint le moment de l'apéritif, Angèle remit le sujet sur la table.

— Papa, avec Xav, on a une fouine dans le grenier et on pensait t'emprunter la carabine pour en finir une bonne fois pour toutes.

Xavier tapota le dos de son beau-père jusqu'à ce que la cacahuète qui venait de faire fausse-route dans le fond de son gosier jaillisse sur la table basse.

— Je crois que ton père n'a pas bien compris chérie. Une fouine, Robert, une bestiole qui fait un raffut d'enfer toutes les nuits au-dessus de nos têtes et dont on voudrait bien se débarrasser. J'aurais pour ça besoin de vous emprunter la carabine.

Robert poussa un immense *ouf* de soulagement. Même s'il pensait que son gendre était un moins que rien, il était rassuré de savoir que celui-ci n'était pas fou et n'avait pas de tendances suicidaires et encore moins sa fille. Oui, il pouvait prendre la 22 et la conserver le temps qu'il faudrait. Ils passèrent à table. Xavier devait reconnaître à sa belle-mère des talents culinaires indéniables. Pour ce qui était du vin, Roby ne jugeait une bouteille qu'en fonction de son prix. Un vin bon était un vin cher et vice versa. Il déboucha un Puligny-Montrachet premier cru à quatre-vingt-dix-sept euros la bouteille pour accompagner l'entrée, un vin dont Xavier ne sut dire s'il était plus cher que bon ou inversement. Suzy quitta la table pour aller chercher la suite, secondée par sa fille. Retentit bientôt un grand fracas suivi d'un cri, puis le bruit d'un affalement pareil à celui d'un linge humide que l'on claque sur un rebord de fontaine et enfin une longue lamentation de douleur. Les hommes se précipitèrent à la cuisine, sauf Axel qui, écouteurs vissés aux oreilles, contemplait béatement l'écran de son portable. Le spectacle était digne d'un champ de bataille. La pintade gisait au sol, exposant indécemment aux regards son croupion farci aux pruneaux. Il en allait de même avec la belle-mère, la farce en moins. Suzanne Lacheneuil pataugeait sur le carrelage au milieu du jus de viande en gémissant. La saucière en porcelaine avait explosé en mille morceaux. Debout dans un coin de la cuisine, Angie, yeux exorbités et mains sur les joues, répétait en boucle telle une litanie un « pardon maman » sincère et émouvant. Xavier et Roby s'agenouillèrent de part et d'autre de l'infortunée en prenant soin de ne pas glisser sur le sol graisseux et tentèrent de la relever mais abandonnèrent le projet lorsque les cris de douleur de la victime redoublèrent d'intensité. Bella et même Flocon dont l'arrière-train peinait à lui obéir se traînèrent jusqu'à la cuisine où ils s'appliquèrent à laper la sauce goulûment. À l'arrivée des pompiers, Suzy n'émettait plus qu'un faible râle. Angie sortit de sa léthargie pour répondre aux questions du médecin. Quelle âge avait la dame ? Était-elle sujette aux malaises ? D'une voix atone, elle expliqua qu'un malaise n'avait rien à voir là-dedans. Tout était de sa faute. La saucière lui avait échappé des mains avant de se fracasser sur le carrelage en répandant son jus. Sa mère qui venait à cet instant de sortir la pintade du four avait alors ripé sur le sol maculé de graisse, s'affalant de tout son poids sur les fesses. Ils installèrent la vieille femme dans le matelas coquille. Après avoir chargé Axel de s'occuper des chiens et de garder la maison, Xavier, Angie et Roby suivirent la camionnette des pompiers jusqu'aux urgences de l'hôpital. Les examens révélèrent une fracture sévère du coccyx. « Et une fracture, une ! » eut envie de clamer haut et fort un Xavier euphorique qui avait liché presque à lui tout seul le Puligny-Montrachet pendant que les secours s'affairaient à la cuisine. Bravo ma chérie, pensa-t-il en lui-même. Je m'incline devant ta prouesse. Tu m'engueules quand je casse une patte au toutou mais permets-moi de te dire que casser le cul de sa mère vaut son paquet de points. Le diagnostic étant posé, on expliqua à Suzanne Lacheneuil qu'à part la prise d'antalgiques pour la douleur, il n'existait pas de soins spécifiques pour ce genre de traumatisme osseux et que seuls le repos et la position allongée étaient requis pour favoriser la guérison. Vu le grand âge de la patiente, le médecin expliqua aux proches qu'il allait falloir compter un bon mois avant que celle-ci retrouve une mobilité acceptable. Ils la gardaient en observation cette nuit et si tout allait bien, ils pourraient venir la récupérer le lendemain. Angie était effondrée, n'en finissait plus de se maudire. Roby, hagard, semblait perdu. Lorsque Xavier évoqua le chèque cadeau resté dans le vide-poche de la voiture pour l'achat du vélo d'appartement de Suzy, son épouse fondit en larmes. Il fut convenu qu'Angèle passerait tout le temps nécessaire au rétablissement de sa mère auprès de ses parents afin de s'occuper d'eux. C'était à ses yeux de pénitente le minimum requis pour expier la faute. Xavier jubila. Quatre semaines, il allait avoir au moins quatre semaines rien que pour lui et Numéro 8. Et tandis qu'il roulait en direction de Clermont, un Axel boudeur à ses côtés, il se dit que la fouine n'avait qu'à bien se tenir. Dans le coffre, sagement rangée dans son étui matelassé, reposait la 22 long rifle.

16

Xavier contemplait le jardinet la rage au ventre. Quelqu'un était venu pendant son absence. Vendredi, le gnome se tenait droit comme un i au milieu de ses rhododendrons. À présent, la statuette reposait allongée face contre terre. Elle aurait pu tomber toute seule, aidée en cela par un animal ou un brusque coup de vent mais l'empreinte de la chaussure dans la terre meuble disait tout le contraire. Un pied étroit, un pied de femme, un pied de voisine. L'intruse avait posé ses sales pattes sur le nain avant de le bousculer volontairement. Xavier serra les poings. Il fallait faire preuve d'une mesquinerie sans bornes pour s'attaquer ainsi à un être sans défense. Il extirpa délicatement Numéro

8 de la terre glaiseuse et sortit le tuyau d'arrosage pour le nettoyer.

— F'est rien qu'une groffe garfe, la voivine, zézaya le nabot.

Pardon ?

— Une groffe garfe, une falope fi tu préfères, la mère Afpic.

Qu'est-ce qui te prend à zozoter comme ça ?

Après un examen minutieux, Xavier constata avec effroi que l'extrémité de la langue était ébréchée. Un éclat de la taille d'une pièce de cinq cents manquait. Dans sa chute, la partie la plus proéminente de son visage avait malencontreusement heurté une pierre. Il chercha pendant près de dix minutes le morceau disparu, gratta le sol, retourna les feuilles, en vain. Jamais deux sans trois, songea-t-il avec fatalisme. Après la patte de Bella, le coccyx de belle-maman, c'était au tour de la langue du nabot de se briser. À l'aide du joint de maçonnerie, il parvint non sans mal à reconstituer le bout absent. Même si la couleur grise de la pâte tranchait avec le brun orangé de la terre cuite, le résultat final était plus que satisfaisant.

Ça va mieux ?

— Ve te remerfie.

Eh merde.

— Mais non, je plaisante: Les chaussettes de l'archiduchesse sont-elles sèches, archi-sèches ? Si six scies scient six cyprès, six cent six scies scient six cent six cyprès. Un pâtissier qui pâtissait chez un tapissier qui tapissait dit un jour au tapissier qui tapiss...

Stop, c'est bon, okay, ça marche.

Xavier reporta son attention sur la façade. Il pensa à ces trous noirs au milieu de l'univers qui happent et engloutissent la matière alentour. La fissure aspirait sa vie d'avant, une vie qui se délitait au gré de ses mensonges. La soustraire à sa vue lui permettrait de faire rentrer les choses dans l'ordre.

— Pas l'impression que tu en aies vraiment envie, copain, lui fit remarquer Numéro 8. Elle te plaisait tant que ça, ta vie d'avant ?

Xavier fit la sourde oreille, pas envie de rentrer dans le débat, et se jeta dans le travail sans attendre. Angie ne remettrait pas les pieds à Alzon avant plusieurs semaines, il pouvait donc en toute liberté finir de poser le bardage. Il pourrait lui expliquer qu'il avait terminé le boulot pendant ses week-ends. Il avançait vite. Le soleil était avec lui, chauffait son dos tandis qu'il emboîtait les lames les unes sur les autres, rainure femelle sur languette mâle, avant de les clouer sur les tasseaux. La lame de l'égoïne mordait dans les clins, libérant des odeurs enivrantes de résineux. Alertée par le bruit, Hélène Aspic avait repris ses rondes d'observation. Xavier décida de l'ignorer et la laissa tourner autour de la propriété sans l'interpeller. L'heure de rendre des comptes viendrait en temps voulu. Au deuxième jour, le bois recouvrait entièrement la façade, du sol jusqu'à l'avant-toit. Xavier s'attaqua à la peinture. Il badigeonna les lames à l'aide d'une brosse large. La lasure couleur gris perle raviva les veines du pin. Il dut patienter jusqu'au lendemain avant de poncer, d'épousseter et de passer la deuxième couche. En fin d'après-midi, tandis qu'il admirait les reflets mordorés du bardage caressé par les rayons du soleil, un malaise vint dissiper la satisfaction du travail accompli.

— Tu le sens, hein, lui glissa à l'oreille Numéro 8 allongé à ses côtés dans la chaise longue.

Le nain s'était exprimé sur un ton bienveillant, loin du plaisir de railler qui l'animait parfois.

Quoi donc ?

— Ce sentiment diffus qui te fait dire qu'elle est toujours là, qu'elle sera toujours là tel un mal qui perdure tant qu'on n'en a pas trouvé l'origine. Et je le répète, ce n'est pas en enterrant les problèmes qu'on les résout, copain.

Mais non, ça va passer.

— Ouais, ça va passer, comme on le dit de choses dont on sait pertinemment qu'il n'en est rien et que ça ne va pas passer, bien au contraire.

S'emmurer dans le déni était idiot, le gnome avait raison, la fissure serait toujours là, bardage ou pas, et pourtant les vingt et un millimètres d'épaisseur de pin Douglas qu'il venait d'ériger entre elle et lui le mettaient pour un temps à l'abri de ses angoisses.

Ce qu'on ne voit pas ne nuit pas, asséna-t-il entre deux gorgées d'alcool comme pour se persuader de la véracité de ses dires. Il sursauta. Le téléphone vibrait dans sa poche. Dumoulin n'avait pas encore fait désactiver sa ligne professionnelle mais cela ne saurait tarder. Le prénom d'Angie s'affichait à l'écran. Xavier avala une dernière lampée de pur malt, se racla la gorge et décrocha. L'état de santé de sa mère préoccupait son épouse. Suzy était entrée dans une phase de déprime inquiétante. La vieille femme ne supportait pas l'état de dépendance dans lequel la réduisait la fracture de son coccyx. Elle avait perdu l'appétit, ne s'intéressait plus à rien, ni à la lecture ni à la télé, pas même aux chiens qui venaient quémander des caresses, ne supportait plus rien. Aujourd'hui, cette femme d'habitude si mesurée dans ses propos avait rabroué son mari avant de s'effondrer en larmes. Il était sidérant, songea Xavier, de voir à quel point la fracture du plus insignifiant des deux cent six os qui composent le squelette, un vulgaire reliquat de queue légué par de lointains ancêtres, pouvait influer sur l'état général d'un être humain.

L'os du cul en miettes et te voilà du jour au lendemain impotent avec le moral dans les chaussettes.

— Je préfère encore une langue cassée, reconnut Numéro 8.

— Et toi ? s'enquit Angèle.

— Moi quoi ? demanda Xavier.

— Tu vas bien ?

La tentation de dire la vérité, toute la vérité et rien que la vérité à sa femme était plus forte de soir en soir. Il ne prenait plus aucun plaisir aux séances de boniments quotidiennes et éprouvait les plus grandes difficultés à trouver les ressources suffisantes pour mentir. Cette mascarade lui pesait. Comme il aurait été bon de faire voler en éclats les faux-semblants, de rompre les amarres pour se laisser porter par le courant. Numéro 8 veillait au grain et l'empêcha une fois de plus de commettre l'irréparable.

— Hop hop hop, copain, on se reprend là !

— La routine, répondit Xavier. La nouvelle collection n'est pas facile à vendre mais je tiens bon. Le secteur de Paris et la banlieue, ça a toujours été le plus dur. Entre les heures passées dans les embouteillages et les rendez-vous annulés ou déplacés, il faut sans cesse jongler mais dans l'ensemble, ça va, je tiens mes chiffres. Heureusement, je me suis arrangé pour garder le même hôtel pour toute la durée de la tournée. Et j'y suis encore toute la semaine prochaine.

— Mon pauvre chéri. Tu me manques.

— Je sais, toi aussi tu me manques.

— Je t'aime.

— Moi aussi je t'aime. On s'appelle. À demain.

Ce type qui parlait dans le téléphone n'était pas lui. Angie ne lui manquait pas, pas vraiment, pas plus que son fils ou le chihuahua, tous si loin de ce qu'il était en train de devenir. Après s'être servi un deuxième verre, Xavier alla chercher la carabine restée dans le coffre de la voiture. Il sortit l'arme de son étui matelassé. La tenir entre les mains lui procura une sensation agréable. Il se rendit à l'arrière de la maison et entreprit de suspendre quelques bouteilles vides au fil à linge. La boîte de cartouches contenait une centaine de balles. La culasse claqua sèchement à ses oreilles lorsqu'il arma la carabine. La crosse vint se loger dans le creux de son épaule. Le bois tiède semblait palpiter contre sa joue. Il tira. La balle effleura le verre de la première bouteille dans un bruit cristallin sans la briser. Il rechargea et parvint au deuxième essai à pulvériser sa cible. À chaque nouvelle victoire, Xavier exultait. Une quarantaine de cartouches furent nécessaires pour parvenir à détruire la totalité des bouteilles. La nuit venue, il monta dans le grenier pour planquer en attendant la fouine. La veille et l'avant-veille, il était allé déposer un œuf frais dans les combles. Pour l'avoir lu sur internet, il savait la bestiole friande de ce genre de mets. Les vestiges de coquille retrouvés sur le petit matin confirmaient l'information. Suspendue à la poutre, la lampe frontale éclairait la blondeur pâle de l'appât du jour. Couché à l'autre bout du grenier au milieu des ténèbres poussiéreuses, Xavier, arme à l'épaule, attendit près de deux heures que le petit mammifère daigne faire son apparition. Il s'apprêtait à abandonner la partie quand la bestiole jaillit de nulle part. Elle s'avança craintive au milieu de la tache jaunâtre que projetait la lampe sur le plancher. Après un court temps d'observation, elle se jeta sur l'offrande qu'elle dévora goulûment sous le regard fasciné de Xavier. La fouine se redressa, le bout de la gueule maculé de jaune d'œuf. Elle fouilla la nuit de ses yeux d'encre avant de prendre la poudre d'escampette sans demander son reste. L'index suspendu à deux centimètres de la détente, il n'avait pu se résoudre à tirer. Il regagna le lit penaud devant un Numéro 8 qui se réjouit de l'échec du macabre projet.

— Je crois que ça m'aurait embêté que tu la tues, copain.

Xavier sourit dans le noir. Par son obstination aveugle à revenir chaque nuit trottiner dans le grenier, la petite bestiole à fourrure avait décroché son droit à la vie.

17

Chaque soir au moment du coucher, Xavier ouvrait la trappe, grimpait à l'échelle, traversait les combles courbé en deux et déposait une nouvelle offrande ovoïdale pour la petite divinité à fourrure. Toutes les nuits, se répétait le même scénario. Sur les coups d'une heure du matin, les trottinements puis le silence. Quelques instants plus tard, la bestiole s'en retournait d'où elle était venue après avoir dévoré sa friandise. Sitôt l'animal parti, la fissure se rappelait à leur bon souvenir en emplissant la maison de ses craquements sinistres. Écouter de la musique avec le casque stéréo vissé sur les oreilles rendait plus inquiétantes encore les affreuses vibrations qui montaient à l'assaut du lit pour pénétrer son occupant jusqu'au cœur des os. Bien calé dans son oreiller, Numéro 8 y allait de ses commentaires.

— Elle n'est pas contente, copain. Elle réclame son offrande et veut que tu lui ramènes quelque chose à se mettre sous la dent, quelque chose d'un peu plus conséquent qu'un malheureux œuf de poule.

Un cauchemar récurrent hantait son sommeil, nuit après nuit. Une grande déchirure ouvrait son corps en deux, du sternum au sommet de son crâne en passant par le palais. De la plaie monstrueuse, s'extirpait tel un papillon de sa chrysalide un corps nu et gluant, un nouveau lui-même. Xavier se réveillait au bord de l'asphyxie avec coincé dans le fond de la gorge ce cri de nouveau-né qui se refusait à sortir. Il ne prenait plus le temps de déjeuner, se glissait dans son vieux jogging, errait sans but dans la maison, somnolait entre deux feuilletons télé, buvait plus que de raison et traversait la journée l'esprit et le corps engourdis par la torpeur engendrée par l'alcool. Des journées vides qui n'intéressaient même plus la voisine dont la surveillance s'était miraculeusement relâchée. Il mangeait peu, se négligeait de plus en plus, ne se rasait plus, prenait encore moins soin de cette moustache dont il était si fier auparavant. Une existence pesante à l'image du ciel lourd et chargé de nuages qui se refusait à se libérer de son eau. Au matin du cinquième jour, n'y tenant plus, Xavier s'empara d'un pied de biche et arracha une première lame du bardage à hauteur d'homme. Une odeur douceâtre monta à ses narines tandis qu'il retirait un deuxième clin, une odeur de chairs pourrissantes. De ce qu'il pouvait apercevoir de la fissure, le joint de maçonnerie s'était encore rétracté, voire désagrégé par endroits. Il démonta les planches d'une manière anarchique avec pour seul objectif de ramener la plaie à l'air libre. Abritée derrière son paravent de bois, la lézarde s'était élargie et dépassait de plusieurs centimètres le repère tracé sur le crépi. La pestilence lui mit le cœur au bord des lèvres. Elle se gangrène et suppure son poison, pensa-t-il, même si la voix de sa raison lui soufflait que la brique et le ciment ne pouvaient rien sentir d'autre que la brique et le ciment. Il se demanda si la fissure traversait le mur de part en part.

— Je ne vois qu'un moyen de le savoir, l'encouragea Numéro 8.

Xavier rentra dans la maison muni de sa caisse à outils. Il vidangea le circuit d'eau du chauffage central afin de démonter le radiateur mural de la cuisine à droite de la porte-fenêtre. Il arracha de grands lambeaux de tapisserie et entreprit d'enlever les plaques de plâtre qui habillaient le mur. Armé d'un cutter, il commença à découper le placo au niveau des joints mais gagné par l'impatience, saisit sans plus attendre à pleines mains les plaques qu'il arracha avec frénésie de leurs rails métalliques. Un amas de plâtre mêlé de laine de roche joncha bientôt le sol. La fissure était là, zigzaguait à travers les briques, laissant filtrer dans sa partie la plus large la clarté du dehors avant de s'enfoncer dans la chape. Il descendit à la cave. Une dizaine de vieux pneus encombrait l'espace. Il les empila dans le coin opposé et ausculta le mur. La lézarde poursuivait sa course de haut en bas avant de disparaître dans le sol en terre battue. Xavier alla chercher pioche et pelle et commença à creuser sous le regard amusé de Numéro 8 qui se mit à fredonner la chanson *Heigh-Ho!* de Blanche-Neige et des sept nains.

— On pioche tic tac, tic tac,
Dans la mine, le jour entier.
Piocher tic tac, tic tac,
Notre jeu préféré.

La fraîcheur de la cave contrastait avec la chaleur du dehors. Pendant près d'une heure, il creusa. À l'aide de la pioche, il piquetait le sol puis dégageait avec la pelle la terre rendue friable. La sueur perlait à son front et son tee-shirt collait à sa peau. Montant du sol, les relents de moisissure et de champignons se mêlaient aux odeurs de salpêtre. Ici au moins, se trouvait-il à l'abri de la pestilence de l'extérieur. Les fondations mises à jour laissaient entrevoir une faille de la taille de l'épaisseur d'un paquet de cigarettes dont la fissure était le prolongement. Il approcha le visage de la brèche. Un courant d'air frais caressa ses joues. Il devina un monde de ténèbres par-delà la gueule étroite. Il s'acharna à coups de burin, descella plusieurs blocs de pierre enchâssés dans le béton, les retira en ahanant sous l'effort. Le sol de la cave lui arrivait à présent au niveau de la taille. Des ampoules sanguinolentes garnissaient ses phalanges et ses paumes. Il s'arrêtait le temps d'éponger son front et de se désaltérer puis reprenait le travail en creusant de plus belle, mettant à jour de nouvelles pierres qu'il arrachait à la terre et au ciment. De petits éboulis se formaient à ses pieds, éboulis qu'il rejetait hors du trou tel un marin écopant une barque qui prend l'eau.

— On va peut-être s'arrêter là copain, qu'en penses-tu ?

Non, pas encore, je suis sûr qu'il y a quelque chose là-dessous.

Fort de ses certitudes, Xavier continua à creuser jusqu'en fin d'après-midi avant de s'extirper du trou, le corps fourbu. Le nain avait raison, il fallait se rendre à l'évidence, tout ce travail de forçat ne menait à rien d'autre qu'à un empilement de mœllons sans intérêt, même s'il restait persuadé que la solution à ses problèmes se trouvait là-dessous.

— À quelle profondeur la solution, copain ? Deux mètres ? Cinq mètres ? Mille ?

Tandis qu'il retrouvait la surface et ses odeurs pestilentielles, il s'aperçut que Dumoulin avait tenté de le joindre à trois reprises. Il le rappela aussitôt. Son chef lui signifiait son licenciement à compter du mois suivant.

— Pas la peine de revenir, la durée de votre préavis sera prise sur votre reliquat de congés payés. Votre lettre recommandée avec accusé de réception est partie aujourd'hui, Barthoux. À signer et à nous retourner. Et pensez à nous remettre votre téléphone, il appartient à la société. Pour ce qui est de vos émoluments, vous toucherez pour solde de tout compte votre salaire amputé comme il se doit des jours d'absence. Voilà, je n'ai rien d'autre à vous dire, si ce n'est que vous nous foutez dans un beau pétrin.

Dumoulin lui parlait d'un monde qui n'était plus le sien. Céramix et son catalogue, les clients, les tournées, les réunions du lundi matin, tout se diluait en une mélasse terne qui ne le concernait plus. Toute rancœur évaporée, Xavier remercia et raccrocha. Ce soir, il n'eut pas le courage de monter dans le grenier pour déposer son offrande et se coucha vidé de ses forces. La fissure n'attendit pas le passage de la fouine pour se manifester par des coups sourds qui crevaient le plancher de la chambre, plus forts que jamais. Xavier se sentit perdu. Il cheminait sur une arête bordée de précipices, sans aucune idée de l'endroit où le menaient ses pas. La voix rassurante de Numéro 8 apaisa quelque peu ses craintes.

— Les signes, copain, il faut trouver les signes et tout ira mieux.

Il imagina une forêt des panneaux indicateurs et sombra dans le sommeil. Pour la première fois, le cauchemar ne vint pas le visiter pendant la nuit.

18

Xavier accueillit le bruit de l'averse avec l'espoir que celle-ci apporte un peu de fraîcheur et noie la puanteur ambiante mais l'odeur insupportable lui sauta au nez tandis qu'il ouvrait les volets de la chambre. Loin de les atténuer, la pluie semblait attiser les relents de charogne qui flottaient dans les airs.

— Une odeur pareille ne peut provenir que d'un gros animal, affirma Numéro 8.

On va en avoir le cœur net.

Sans même ôter son pyjama, il glissa ses pieds nus dans les bottes en caoutchouc, sangla le gnome dans le porte-bébé, se munit d'un parapluie et se mit en quête de l'origine de ce fléau olfactif. Après avoir fouillé le terrain dans ses moindres recoins, du pourrissoir situé au fond de la pelouse jusqu'au talus bordant la route, il fit à plusieurs reprises le tour de la maison, narines grandes ouvertes. L'empuantissement était plus marqué derrière la bâtisse, du côté du fil à linge où pendouillaient encore les vestiges des bouteilles pulvérisées quelques jours plus tôt à coups de 22 long rifle. De nombreux éclats de verre scintillaient dans l'herbe humide. Xavier s'approcha de la haie de thuyas qui séparait sa propriété de celle de la voisine.

— Je crois qu'on chauffe, copain, ça ne doit plus être bien loin. Même les thuyas puent la charogne.

Il longea le mur de verdure et s'arrêta pour en écarter les branches, mû par un terrible pressentiment. La tache bleue entraperçue de l'autre côté dans le potager confirma ses craintes. Hélène Aspic était étendue de tout son long au milieu de ses plants de courgette. Il traversa la haie et s'approcha du corps. Couchée sur le dos, la vieille femme buvait la pluie par sa bouche béante. Les yeux effondrés dans le fond des orbites ne voyaient plus rien du ciel depuis longtemps. Les gouttes d'eau s'abattaient sur le visage violacé et boursouflé en crépitant comme sur une peau de tambour. Au-dessus de l'arcade gauche, un trou marquait le point d'entrée du projectile. Aucune trace de sang, juste cet orifice bien net, à peine plus gros que la marque d'un poinçon sur un billet SNCF. Xavier reconstitua sans peine le fil des événements. Tandis qu'il s'appliquait à accrocher les bouteilles au fil à linge, la mère Aspic s'était approchée de la haie pour épier ses faits et gestes, se demandant où il voulait en venir avec toutes ces ficelles et ces canettes vides. Ripant sur la cible, la première balle l'avait cueillie au front avant même qu'elle comprenne ce qui lui arrivait. Elle s'était affalée dans son jardin, les bras en croix, foudroyée par le projectile, victime de sa curiosité. Il n'avait rien entendu, n'avait à aucun moment soupçonné que le hasard venait de le débarrasser de son envahissante voisine.

— Belle offrande pour la fissure, copain, s'enthousiasma Numéro 8. Le trou que tu as creusé à la cave n'attendait plus qu'elle.

Xavier pouffa. La 22 long rifle de beau-papa avait zigouillé une grosse fouine à blouse bleue et tignasse permanentée qui n'allait plus leur empoisonner la vie. Il récupéra la toile cirée de la table de jardin et l'étendit auprès du cadavre. Pas un instant il ne s'inquiéta de l'éventuelle réaction de son épouse lorsqu'elle se rendrait compte de la disparition de la nappe. Angie était loin, de plus en plus loin. Une entité vaporeuse qui ne retrouvait de la consistance qu'au moment du coup de fil journalier avant de disparaître dans les limbes de son esprit embrouillé jusqu'au coup de fil suivant. Il roula le corps et l'emballa dans la toile épaisse, réprimant ses haut-le-cœur. Après avoir solidement ligaturé l'ensemble à l'aide de ruban adhésif, il tira le fardeau à travers la haie puis sur la pelouse et traversa le corridor jusqu'à l'escalier qui menait au sous-sol. Xavier s'arrêta pour reprendre son souffle puis poussa du pied le colis qui dévala les marches. Il atterrit sur la terre battue en émettant un horrible bruit mat. À vue de nez, la fosse était un peu trop petite pour accueillir le corps. Il l'agrandit à grands coups de pioche et de pelle puis y bascula le cadavre saucissonné dans son linceul de fortune. Les premières pelletées caillouteuses claquèrent sèchement sur la toile cirée. Régulièrement, il tassait la terre en la piétinant de la semelle de ses bottes. Xavier recouvrit la tombe improvisée à l'aide des pneus déplacés la veille. La voisine vivait seule, n'avait pas de famille et encore moins d'amis. Jamais de visites. Les visites, c'est elle qui les faisait à ses uniques voisins adorés, les Barthoux et leur chihuahua chéri. Les rares contacts avec l'extérieur se limitaient aux commerçants du village.

— Si un problème survient, il ne pourra venir que de ce côté-là, prophétisa le nabot. Mais d'ici à ce que des gens s'inquiètent de sa disparition, la fissure se sera nourrie d'Hélène Aspic comme la fouine de son œuf et il n'en restera plus qu'un paquet d'os émiettés au milieu de vêtements pourrissants.

Noyée sous plus d'un mètre de terre et de cailloux, la dépouille emmaillotée dans son cocon ne répandait plus sa puanteur et les ultimes relents nauséabonds qui flottaient dans la cave s'évaporèrent par le vasistas entrouvert.

Ça mériterait bien un petit gueuleton, copain, à la mémoire de notre défunte voisine.

— Avec en entrée, aspic d'œufs en gelée !

Et poire belle Hélène au dessert.

Ils en riaient encore tandis qu'ils roulaient en direction du supermarché situé à une dizaine de kilomètres de là pour acheter des provisions. Un bon steak, des pommes au four et une laitue bien fraîche, Xavier en salivait d'avance. Tenaillé par la faim, il ne prêta pas attention aux regards de gêne, de dégoût et parfois d'apitoiement que les gens jetaient sur son passage. Beaucoup s'effaçaient devant ce type hirsute dont les pans du pardessus laissaient entrevoir un pyjama crasseux, déambulant en bottes au milieu des allées avec posé dans le siège de son caddie ce qui avait tout l'air de ressembler à un vieux nain de jardin. Il remplit son chariot de victuailles, sans oublier bouteilles de vin et autres spiritueux. La caissière parvint difficilement à masquer son écœurement devant l'aspect du bonhomme et les affreuses odeurs attachées à son sillage.

— Vous avez la carte de fidélité du magasin ?

Non, mais j'ai une voisine morte dans ma cave, si ça pouvait me donner droit à une petite réduction.

— Non, pas de carte, répondit-il en gloussant.

L'autre n'insista pas. Suspicieuse, elle le regarda insérer sa Gold Mastercard dans le terminal de paiement et taper son code du bout d'un index à l'ongle noir de crasse. L'appareil cracha le récépissé du règlement sans rechigner devant la caissière qui ne cacha pas son étonnement. Xavier acheta un paquet de cigarillos au bureau de tabac voisin et reprit le chemin de la maison. Il freina brutalement à l'entrée du village. Projeté vers l'avant, Numéro 8 vint heurter de toute la terre cuite de son bonnet le tableau de bord.

Tu as lu comme moi ?

— Les signes, copain, les signes ! bredouilla le gnome encore groggy de sa rencontre avec le plastique dur de la planche de bord.

Xavier engagea la marche arrière et remonta la route à toute allure sur une vingtaine de mètres avant de piler à la hauteur du panneau d'entrée d'agglomération. Le nain bascula en arrière, retrouvant le mœlleux de son siège. Xavier lissa sa moustache. Si le panneau blanc bordé de rouge qui annonçait le nom de la localité lui était familier, le panonceau accolé juste en dessous lui avait sauté aux yeux comme s'il le voyait pour la première fois. Il saisit son téléphone dans la poche de son pyjama et prit une photo de l'ensemble.

D999
ALZON
Antipode de Chatham Islands
Situation unique en France

Cette particularité du village lui avait échappé totalement. Il se rappela la fierté d'Angèle à l'idée d'habiter le seul endroit de l'hexagone dont le point antipodal ne se trouvait pas dans l'eau mais sur une île perdue au beau milieu du Pacifique sud.

— Tu te rends compte mon chéri ?

Non, il ne se rendait pas compte. Elle lui avait dispensé un rapide cours de géographie, lui expliquant que seulement quatre pour cent de la surface du globe – seulement quatre pour cent te rends-tu compte mon chéri ? – possédaient des points antipodaux situés tous les deux sur des terres émergées. Plus rares encore étaient ceux dont le pendant sur la face opposée de la planète était constitué d'une terre habitée.

— Et c'est justement le cas d'Alzon qui a pour antipode le village de Waitangi sur Chatham Island. Tu te rends compte mon chéri? (Non, il ne se rendait toujours pas compte.) Un cas unique en France. Imagine, à douze mille huit cents kilomètres d'ici, à l'exact opposé de la planète, des gens et des maisons, avait-elle conclu émerveillée.

D'un haussement d'épaules, il lui avait signifié son désintérêt pour une telle singularité. À l'aide du globe terrestre qui prenait la poussière dans la chambre d'Axel, Angie lui avait montré le point minuscule que dessinaient les îles Chatham au milieu de l'océan. Décrochant le globe de son socle et munie d'une aiguille à tricoter, elle avait percé l'emplacement des Cévennes puis fait de même avec l'insignifiante patte de mouche au sud-est de la Nouvelle-Zélande avant d'embrocher la sphère cartonnée de part en part et de la faire tourner sur cet axe de fortune.

— Vois comme elle pivote bien sur elle-même, preuve que l'aiguille passe en plein milieu de la planète.

— Ce que je vois surtout, c'est que tu viens d'esquinter le globe que tes parents avaient acheté à notre fils pour son dixième anniversaire, avait-il rétorqué.

Le manque flagrant d'enthousiasme de son mari avait eu raison de l'emballement d'Angie. Le globe avait retrouvé sa place dans la chambre d'Axel et elle n'avait plus jamais évoqué l'exception géographique que constituait le village.

Chatham Islands. Xavier ne parvenait plus à détacher ses yeux de l'inscription. Pourquoi aujourd'hui ressentait-il ces drôles de picotements derrière la nuque à la vue de la pancarte ?

— Parce qu'hier, tu les as entendues mais tu n'y as pas prêté attention.

Numéro 8 avait parlé comme on parle à un enfant, sur un ton conciliant.

Entendues quoi ?

— Les vagues, copain, les vagues. Quand tu as approché ton visage de la faille au fond de la cave, elles étaient là.

Il se souvint. Tandis qu'il lâchait la pioche pour coller sa joue contre l'anfractuosité, il avait perçu le bruit d'un affalement lointain en même temps que le courant d'air frais venait caresser sa figure. Le même genre de bruit qui sort d'un coquillage quand on l'applique contre son oreille. La certitude que la fissure ne prenait pas naissance dans le sol d'Alzon mais trouvait son origine de l'autre côté du globe s'empara de lui.

— *In Nioue Zilande*, mon pote ! s'exclama Numéro 8, heureux de constater que Xavier en arrivait à cette conclusion.

Des images de plages et de guerriers maoris emplirent sa tête tandis qu'il s'affairait à cuisiner. Il déboucha une bouteille de Bordeaux, un Dourthe à dix euros quatre-vingt-dix. Pas du vin pour beau-papa, songea-t-il. Il trinqua avec le gnome, verre contre terre cuite. Le téléphone posé sur le plan de travail vibra une première fois. 19 heures, l'heure d'Angie.

— Laisse vibrer, copain.

L'appareil se manifesta à quatre reprises dans la soirée. À chaque fois, Xavier dut se faire violence pour ne pas décrocher. L'envie de mettre fin aux faux-semblants et de déballer une fois pour toutes la vérité le taraudait.

Il faut lui dire.

— Lui dire quoi ? « Ah, au fait chérie, je ne voulais pas t'en parler histoire de pas t'affoler mais j'ai perdu mon boulot. Oui, tu as bien entendu, fini, basta, terminus Frachon, Céramix et tutti quanti, tout le monde descend. Du coup, va falloir réviser *seriously* le train de vie, Angie. En attendant, j'ai eu le temps de m'avancer un peu niveau travaux dans notre résidence secondaire mais le rendu final ne va pas te plaire. Je pense que le mieux sera que tu remettes de la vigne vierge. Tu pourras même en coller dans la cuisine, de la vigne vierge, histoire de cacher la misère. Que veux-tu, on ne s'attaque pas à une fissure sans provoquer quelques dégâts collatéraux. D'ailleurs en parlant de fissure, j'ai bien peur que ce petit problème ne nous emmène moi et Numéro 8 un peu plus loin que prévu. Un petit tour à l'autre bout de l'aiguille à tricoter si tu vois ce que je veux dire, histoire de remonter à la source pour voir ce qu'il en est. Le gnome te donne le bonjour, c'est devenu mon meilleur pote, tu sais. Grande gueule mais sympa, on ne se quitte plus d'une semelle de botte tous les deux. Sinon pas grand-chose de neuf. Ah si, tu ne t'inquiéteras pas mais notre voisine adorée a emménagé dans notre cave, enfin dans le sol de la cave plus exactement, couchée bien au chaud sous un mètre de terre et de caillasses et recouverte d'une dizaine de couronnes mortuaires caoutchoutées. À ce propos, tu diras à ton père que sa carabine est foutrement efficace. Voilà, sur ce, je vais te laisser, j'ai une entrecôte qui m'attend et un petit voyage à préparer. Pas sûr qu'on se reverra, ma chérie, mais je ne m'inquiète pas pour toi, papa Roby va s'occuper de sa petite fille chérie. Je t'embrasse. » C'est ça que tu veux lui dire ?

Une fois de plus, Numéro 8 avait raison. La vérité n'aurait fait que tout compliquer. Les priorités étaient ailleurs à présent. Des priorités dont Angie ne faisait plus partie. Il dévora avec appétit son steak accompagné de pommes de terre rissolées. Le beau temps revint dans la soirée et à la nuit tombée, Xavier s'installa sur la terrasse, glissa un cigarillo dans la bouche de Numéro 8 et fit de même en sirotant un dernier whisky sous le ciel étoilé. Il se lissa la moustache. À quoi ressemblaient les nuits de l'autre côté de la planète ? Quelles étoiles mouchetaient le ciel de Waitangi ? Ce soir, la fouine eut droit à deux œufs. À l'heure du coucher, il alla chercher le globe dans la chambre d'Axel. Avant d'éteindre, Xavier contempla la sphère posée au milieu du lit entre lui et le gnome. Perdues dans l'immensité bleutée de l'océan, les îles Chatham n'étaient plus qu'un trou, là où l'aiguille à tricoter d'Angèle avait percé la surface cartonnée quelques années plus tôt. Un trou comme dans le front d'Hélène Aspic. Xavier dormit d'un sommeil de plomb, la planète miniature précieusement calée sous son bras.

19

Aucun bruit ne vint troubler son sommeil pendant la nuit. Apaisée pour un temps, la fissure les avait laissés en paix.

— Avec ce que tu lui as offert, elle a de quoi se repaître pour un bon moment, copain, tu ne crois pas ?

Xavier étira ses muscles douloureux, attrapa Numéro 8 et se leva. Le miroir de l'armoire lui renvoya l'image d'un inconnu. Il ne put soutenir très longtemps son regard. L'éclat désagréable qui luisait au fond des prunelles le mettait mal à l'aise. Le pyjama maculé de terre dégageait des odeurs épouvantables.

— Je ne voudrais pas être médisant de si bon matin copain mais tu schlingues comme c'est pas permis. Un cocktail de vieille sueur et de viande gâtée.

Sans vouloir être médisant à mon tour, sache que ta terre cuite dégage elle aussi des odeurs à faire tomber dans les pommes même la plus enrhumée des Blanche-Neige, mon p'tit pote.

Après avoir balancé ses frusques à la poubelle, Xavier se glissa sous la douche avec Numéro 8, frictionna vigoureusement son corps et celui du nain à grands coups de gant de toilette. Effacer ces relents de mort qui collaient à sa peau. Il shampouina ses cheveux raides de crasse et laissa courir de longues minutes le jet brûlant sur ses membres endoloris. Il passa des vêtements propres, aspergea généreusement de parfum ses joues broussailleuses ainsi que la bouille hilare du gnome. Tout en buvant son premier café de la journée, Xavier examina la photo prise la veille à l'aide de son portable.

D999
ALZON
Antipode de Chatham Islands
Situation unique en France

D999. Peut-être fallait-il voir dans cette série de trois neuf un peu plus qu'un simple numéro de route départementale.

— Les signes, copain, déchiffre les signes, l'exhorta Numéro 8.

Sur internet, tous les sites de numérologie consultés menaient aux mêmes conclusions concernant une telle succession de neuf. Il était question de phase finale, de réalisation totale, de détachement du passé, d'accomplissement, d'accouchement de soi-même. Accouchement de soi-même, des mots qui auraient très bien pu résumer son cauchemar.

— À quand remonte votre dernière échographie, Monsieur Barthoux, je ne la vois nulle part mentionnée sur votre carnet de maternité ? plaisanta le gnome.

Continue de faire le mariole et je te casse la langue pour de bon !

Numéro 8 ravala son rire devant le sérieux de Xavier qui sollicita à nouveau le moteur de recherche pour en apprendre un peu plus sur ce Chatham Islands du bout du monde. Bien qu'appartenant à la Nouvelle-Zélande, l'archipel constitué de deux îles principales, la grande, Chatham Island, et une beaucoup plus petite au sud-est, Pitt Island, se trouvait à près de sept cents kilomètres des côtes est du pays et à plus de mille de la ville d'Auckland. Un décalage horaire d'avec la France de plus de douze heures en hiver, une monnaie, le NZD, le dollar néo-zélandais ou kiwi pour les intimes, un climat de type subpolaire océanique et une population toutes îles confondues d'à peine six cents âmes. Xavier cliqua à plusieurs reprises sur la souris pour agrandir la carte. Bordée d'une baie immense à l'est et de côtes plus tourmentées à l'ouest, l'île de Chatham dessinait un T majuscule grossier. Il bascula en mode vue satellitaire. Alors, ce qui la veille encore n'était qu'un trou d'aiguille à tricoter sur un globe de carton se matérialisa devant ses yeux en un patchwork de verts et de bruns déclinés à l'infini. Il augmenta la résolution, faisant apparaître des routes saupoudrées de rares habitations, des forêts, des cultures, des plages balayées de vagues écumantes. La piste d'atterrissage de l'aéroport dessinait un trait d'asphalte entre deux lagons aux eaux sombres. Son cœur s'emballa. L'antipode exact de sa maison se trouvait là, sur ce bout de terre qui étirait son ventre au milieu des eaux du Pacifique sud.

— Elle ne m'a pas l'air bien folichonne, ton île, marmonna Numéro 8 dans sa barbe de terre cuite. Et puis « subpolaire océanique », excuse-moi mais ça ne sent pas spécialement la bronzette un climat pareil. Il n'y a que du froid, du vent et de la pluie dans ces mots-là. On ne pourrait pas plutôt choisir Tahiti comme destination ? Vahinés, collier à fleurs et sable chaud ? Voilà des beaux mots comme je les aime ! On s'en bat le bonnet des antipodes après tout. Moi je veux bien être ton Vendredi si tu joues les Robinson mais va au moins t'échouer la solitude sur une île avenante, pas sur un bout de cailloux venteux au milieu de nulle part ! Et puis sans être pessimiste, vu la densité quasi nulle de la population, il faudrait vraiment un sacré coup de chance pour que l'alter ego de ta résidence soit aussi une maison. Je te donne à peine une chance sur mille pour que ton antipode tombe ailleurs qu'au milieu d'un lagon, d'un pré ou ne se perde pas dans le sable d'une plage, si ce n'est pas dans le cul d'une vache.

Où il est passé le nabot qui n'arrêtait pas de dire qu'il faut chercher les signes, comprendre les signes, suivre les signes ? Tous ces signes nous montrent la direction de Chatham Islands, c'est là-bas qu'il faut aller et peu importe que monsieur préfère le climat de la Côte d'Azur aux intempéries bretonnes. T'es tu posé la question du nombre de chances qu'il y avait à atterrir dans le seul village de France qui possédait un antipode terrestre habité lorsqu'on a acheté ici ? On ne devait pas être loin des un sur mille à mon avis, si tu veux savoir. Quant à se demander où peut bien se trouver l'antipode précis de la maison, on va vite être fixé, mon petit pote qui ne rêve que de bronzette.

Xavier saisit son téléphone portable et activa la fonction boussole à laquelle étaient rattachées les données GPS. La géolocalisation permettait de connaître les coordonnées exactes de l'emplacement de l'appareil. Il descendit à la cave, s'approcha du mur et, après avoir écarté les pneus, appliqua le téléphone à l'endroit précis où la fissure s'enfonçait dans la croûte terrestre de l'hémisphère nord. Les données en degrés, minutes, secondes apparurent sur l'écran, blanc sur noir.

Latitude : N 43°57'52.7649"
Longitude : E 3°27'2.6607"

Ce qui donnait une fois transcrit en degrés décimaux :

Latitude : 43.9646569
Longitude : 3.4507390833333335

Comme pour se persuader de leur réalité, il énonça les deux séries de chiffres à haute voix. Il fallut moins de dix minutes à Xavier pour trouver sur le net un site capable de calculer l'antipode d'un point précis. Le Graal s'appelait « Antipodes Map ». *It helps you find the other side of the world, the antipode of any place on Earth.* Exactement ce qu'il lui fallait. Fébrile, il entra dans les cases prévues à cet effet les coordonnées collectées quelques instants plus tôt via son téléphone. Le résultat s'afficha instantanément :

Lat : S 43°57'52.7649"
Long : W 176°32'57.3393"

Et en degrés décimaux :

Lat : -43.9646569
Long : -176.549260916666667

Il contempla fasciné les chiffres de son Graal. Les images satellite d'Alzon et de Chatham Island se matérialisèrent devant ses yeux, scindant en deux parties égales l'écran quatorze pouces. Deux clones vus du ciel. À gauche, Alzon. Le ruban clair de la route serpentait à la sortie du village entre champs et forêts. Son regard glissa jusqu'aux carrés orange que dessinaient les toitures de la maison d'Hélène Aspic, paix à son âme, et de leur résidence secondaire. Une croix comme celle d'une mire de viseur clignotait au centre de celle-ci. À droite, la vue montrait également une route serpentant au milieu d'une verdure identique à celle des Cévennes. Là aussi, une croix clignotait, posée au centre d'un rectangle brunâtre. Un rectangle qui n'était ni les eaux d'un lagon, ni un pré, ni une plage et encore moins le cul d'une vache mais une maison. La route au bord de laquelle se trouvait la bâtisse répondait au nom exotique de Maipito Road et appartenait au village de Waitangi. Xavier ferma les yeux. Ma-i-pi-to Road. Le nom chanta agréablement à ses oreilles tandis qu'il le prononçait encore et encore telle une litanie, avec à l'esprit la certitude que la réponse à toutes ses questions se trouvait au centre de cette mire clignotante qui l'appelait de l'autre côté de la Terre.

20

La voyagiste s'était montrée très claire. « S'il mesure plus de cinquante-cinq centimètres, vous devrez le mettre en soute. Les bagages en cabine ne doivent pas excéder cette taille. Cinquante-cinq par trente-cinq sur vingt-cinq, c'est la règle. » « Cabine, je m'arrangerai », avait répondu Xavier. Il ne concevait pas d'abandonner en soute son petit compagnon pour un voyage qui allait durer plus de trente heures, escales comprises. « Comment ça, je m'arrangerai, s'était inquiété le gnome tandis qu'ils quittaient l'agence de voyages, le billet d'avion sagement glissé entre eux dans la poche de poitrine. Ça veut dire quoi "Cabine, je m'arrangerai" ? » Le silence de Xavier n'avait fait qu'alarmer encore plus le nain. Il était près de 19 heures lorsque leur véhicule pénétra sur le parking de Céramix. Un mois s'était écoulé depuis que Xavier avait quitté les lieux. Un siècle. Il n'eut pas besoin de faire usage du double de clés qu'il avait conservé pour ouvrir la porte du bâtiment. Malgré l'heure tardive, Mô était encore en plein travail, badigeonnant d'un beau rouge vermillon les couvre-chefs d'une armée de nains ventripotents. À la vue de l'ex-directeur commercial et passé le moment de surprise, elle posa son pinceau et retira son masque de protection. L'épuisement marquait ses yeux de cernes sombres.

— Vous les entendez vous aussi ? demanda-t-elle d'une voix éteinte.

— Qui ça ?

— Eux, dit Mô en montrant du menton la centaine de nabots debout au garde-à-vous sur le tapis roulant qui menait à la cabine de peinture.

— Non, avoua Xavier.

— C'est drôle, ça ne m'est jamais arrivé avec les Blanche-Neige ni avec les angelots mais les nains, c'est plus fort qu'eux, il faut toujours qu'ils se fassent entendre.

— Qu'est-ce qu'ils disent ?

— Rien, y disent rien. Ils ne font que geindre. Un véritable cortège de pleureuses. Le pire, c'est la nuit. La nuit souvent ils hurlent à n'en plus pouvoir, de vrais braillements de cochons qu'on égorge, jusqu'à ce que maman Marie-Odile arrive pour les calmer. C'est l'avantage d'habiter à trois pâtés de maisons d'ici. Parfois, quand je suis trop épuisée pour me relever, je les laisse crier mais la plupart du temps, c'est plus fort que moi, faut que je vienne pour les faire taire. Au début, j'ai tout essayé vous savez. Leur laisser la lumière allumée, les bercer dans mes bras, leur chanter une comptine, tenter de les raisonner, rien n'y fait. Eh bien croyez-moi ou non mais la seule chose qui parvienne à les calmer, c'est la caresse du pinceau. Et ils se moquent pas mal de la couleur. La couleur, c'est le dernier de leurs soucis à ces petits chéris. Je peux bien leur mettre du rouge, du bleu ou du caca d'oie, la seule chose qui compte, c'est que je leur câline le bonnet du bout des poils de mes brosses pour qu'ils arrêtent leurs pleurnicheries. Le mieux, c'est le poil de martre. Radical, le poil de martre, ça apaise même les plus hystériques. Une fois le bonnet barbouillé, ils deviennent sages comme de vrais petits anges et muets comme des carpes.

Xavier sourit. Jamais Mô n'avait prononcé autant de mots à la fois.

— À mon âge, il y a longtemps que j'aurais pu arrêter de travailler vous vous doutez bien mais qui va s'occuper d'eux le jour où je m'en irai ? Une petite jeune qui viendra à 9 heures, les badigeonnera jusqu'à 18 heures avec de la musique à tue-tête dans les oreilles et qui rentrera chez elle le soir venu en se foutant complètement que ceux dont le bonnet est encore vierge passent la nuit à s'arracher les cordes vocales en attendant que quelqu'un se décide à venir les finir ? Non, je ne peux pas les abandonner et tant que je pourrai, je continuerai de m'occuper d'eux, c'est beaucoup mieux comme ça.

Xavier sortit le gnome du porte-bébé et le posa sur le tapis roulant au milieu de ses congénères. Le nabot dépassait les autres de plus d'une tête.

— Marie-Odile, permettez-moi de vous présenter…

Il n'eut pas le temps de terminer sa phrase.

— Un Numéro 8 ! s'exclama la sexagénaire en lui serrant l'avant-bras de sa main gantée, le regard brillant d'émotion. Mon Dieu le pauvre, il est dans un triste état. Viens ici mon bébé que maman Marie-Odile te regarde la terre cuite de plus près.

Joignant le geste à la parole, elle saisit la lourde statuette qu'elle pressa contre sa poitrine généreuse.

— Je ne suis pas son bébé, protesta le nabot.

Tous les nains de jardin sortis des ateliers Frachon sont ses bébés, que ça te plaise ou non, mon pote.

— Mon Dieu, elle sent l'ail, c'est affreux comme elle sent l'ail, copain.

L'ouvrière ne réagit pas. Si elle pouvait entendre les pleurs de ses petits protégés, il semblait que celle-ci restât sourde aux paroles de Numéro 8.

— Il est de quelle année ? questionna Mô.

— 1976.

— L'année de la grande sécheresse, je m'en souviens comme si c'était hier. On en a bavé comme jamais cet été-là. Entre la sortie du moule et la mise au four, l'argile n'arrêtait pas de se fendiller tellement l'air était chaud et sec. On a dû en détruire de pleines fournées, des Numéro 8. Il n'y a que les meilleurs qui s'en sont sortis. C'est drôle, à bien y réfléchir, c'est le seul modèle que je n'ai jamais eu à peindre et ça reste pourtant mon préféré. Des nains de jardin de cette taille, ça ne s'était encore jamais vu. C'est dommage, je reste persuadée qu'avec une belle peinture, attention hein, émaillée la peinture, pas de la flotte colorée comme celle qu'ils m'obligent à utiliser aujourd'hui et qui ne supporte pas les intempéries, les Numéro 8 auraient eu encore plus fière allure.

Rêveuse, Mô tournait le gnome dans tous les sens.

— Un beau bleu de Prusse pour le bonnet, soupira-t-elle, bien profond. J'ai toujours aimé le bleu de

Prusse. Du grenat pour le gilet, un rouge corail pour le pantalon et pour le vert des bottes, quelque chose d'un peu terreux et de noble à la fois, un Véronèse par exemple. Et pour la veste, un jaune ivoire, bien en contraste avec le grenat du gilet. Quant au rose du visage, je ne vois qu'un cuisse-de-nymphe, moins marqué que le rose dragée.

— Ne la laisse pas me peindre, supplia l'intéressé.

— Je ne suis pas venu ici pour le faire peindre, Marie-Odile, l'interrompit Xavier, mais j'aurais besoin de le raccourcir.

— Pourquoi donc le raccourcir ? Il a fait quelque chose de mal ?

— On doit prendre l'avion pour un long voyage mais la compagnie lui refuse l'entrée en cabine sous prétexte qu'il est trop grand et il est hors de question que je le mette en soute.

— Un nain trop grand, on aura tout vu. Si c'est pas malheureux, raccourcir un Numéro 8. Et de combien faut-il l'amputer, ce petit amour ?

— Je ne suis pas son petit amour, s'égosilla le nabot.

— Si on tient compte de l'épaisseur du papier bulle de protection et du sac de voyage, je dirais qu'il ne devrait pas mesurer plus de cinquante-deux centimètres grand maximum. L'ensemble ne doit pas dépasser les cinquante-cinq pour être accepté comme bagage à main.

— Et là, il fait quoi, guère plus de cinquante-huit. La vie lui a déjà bien raboté le haut du bonnet à ce petit coco, fit remarquer la coloriste.

— Je ne suis pas son petit coco, se renfrogna le gnome.

— Viens là que je te mesure.

Mô allongea Numéro 8 sur le tapis roulant et prit ses mensurations à l'aide du mètre ruban qui ne quittait jamais la poche de sa blouse.

— Un petit cinquante-sept.

Bras croisés, la sexagénaire réfléchit un temps en contemplant la statuette avant de délivrer le résultat de sa réflexion.

— On a deux solutions : soit attaquer le problème par le bas en supprimant la semelle des bottes et une partie des pieds mais ça ne serait pas très esthétique et ça risque de le fragiliser, soit tailler directement à même le bonnet. Sept centimètres d'un coup. Je disque et je meule. J'en profiterais pour lui remodeler son pointu, ça ne serait pas du luxe. Cette deuxième solution permet de conserver l'estampille « Frachon » gravée sur la semelle de sa botte droite, encore bien visible malgré son âge avancé. Et surtout notre Numéro 8 repart avec un couvre-chef digne de ce nom et pas cette chose écaillée et sans forme qui ne ressemble plus à rien.

Tout en discourant, Mô avait désigné du bout des doigts les différentes parties citées, tel un chirurgien expliquant à ses élèves le déroulement d'une future opération.

T'en penses quoi l'ami ? C'est pas tous les jours qu'un nain de ton espèce a l'occasion de se faire remodeler le pointu par maman Marie-Odile.

Silence boudeur du nabot.

— D'accord pour le bonnet, trancha Xavier.

— Allez, on va te raccourcir tout ça puisqu'il le faut, mon pauvre poussin.

— Je ne suis pas son pauvre poussin, murmura d'une voix lasse le poussin en question que Mô emportait déjà en direction de l'établi situé au fond de l'usine. Ils passèrent devant la gueule noire des fours dont les briques réfractaires ne connaîtraient plus jamais la chaleur d'aucune flamme. En quelques gestes sûrs, la coloriste emprisonna la tête de Numéro 8 entre les mâchoires de l'étau après avoir pris soin de protéger les tempes du gnome de tampons en caoutchouc. Elle marqua d'un trait de craie l'endroit précis où pratiquer la coupe, choisit le disque à matériau adéquat, chaussa ses lunettes de protection et mit en route l'appareil. Le disque s'enfonça sans effort dans l'argile et trancha en une passe l'extrémité du bonnet. Armée de la meuleuse, Mô entreprit de redessiner le cône initial du couvre-chef. Xavier se boucha les oreilles afin d'échapper aux hurlements de Numéro 8 que le sifflement aigu de la machine peinait à couvrir. Dix minutes plus tard, la sexagénaire libéra le condamné de l'emprise de l'étau qui enserrait sa tête et s'activa à lui patiner sa terre meurtrie à l'aide d'un chiffon huileux. Aphone d'avoir trop crié, Numéro 8 n'était plus que hoquets et reniflements.

Tu vois, t'es pas mort. Et je peux te dire que tu as fière allure.

Assise sur son tabouret, Mô faisait durer l'instant, passait le chiffon encore et encore sur la tête d'argile du gnome posé sur ses genoux.

— Tu peux lui dire d'arrêter de me lustrer le bonnet, c'est bon là, gémit le nabot de sa voix éraillée.

— Tant qu'on y est, je vous demanderais bien de lui repeindre le bout de la langue, suggéra Xavier, histoire d'être raccord avec la couleur d'origine. Je l'ai réparée du mieux que j'ai pu mais le gris tranche vraiment avec tout le reste.

— Je n'osais pas vous le proposer, avoua une Marie-Odile enthousiaste. Ça ne prendra que quelques minutes.

La coloriste farfouilla dans ses tiroirs à la recherche de son nuancier. Après avoir glissé Numéro 8 sous la lumière blanche de l'atelier peinture, elle déploya l'éventail de teintes et l'approcha de la tête du nabot.

— Orange combava, relevé d'un soupçon de terre de sienne, ce sera parfait, conclut-elle avant de s'activer au milieu de ses pots de peinture et de ses boîtes de piments pour composer le coloris souhaité.

Alors, après avoir épousseté le visage du gnome d'un bref jet d'air comprimé, Marie-Odile Doucet, coloriste de son état chez Frachon depuis 1972, posa pour la première fois de sa vie son pinceau sur un Numéro 8.

— Jamais je n'aurais un jour pensé avoir ce privilège, bafouilla une Mô émue aux larmes tandis que le gris de l'extrémité de la langue du nabot se teintait de brun orangé sous la caresse des poils de martre.

— Ha hahouille, se plaignit l'intéressé.

Tu peux bien supporter quelques chatouillis. C'est le prix à payer pour retrouver ton teint naturel mon ami.

— Ha hera hong à héher ?

— D'ici à demain matin, la peinture aura séché mais en attendant, évitez de poser le doigt dessus, conseilla Mô comme si celle-ci avait entendu la question de Numéro 8. C'est drôle, poursuivit la coloriste, je n'y avais pas prêté attention mais depuis qu'il est là, mes petits cocos ont perdu leurs voix. C'est comme s'il leur imposait le respect. Dommage que je n'en ai pas un à disposition pour leur intimer le silence, ce serait merveilleux.

— Mais il y en a un qui n'attend que vous, Marie-Odile, un tout neuf et à deux pas d'ici qui plus est.

Ce disant, Xavier alla ouvrir la porte du bureau à l'aide de son jeu de clés et s'empara du Numéro 8 posé sur l'étagère parmi ses congénères.

— Dumoulin ne s'en rendra même pas compte. Tenez, il est à vous. Et celui-là, vous pouvez même le peindre à votre guise, si ça vous chante, ajouta-t-il au moment de partir.

La dernière image qu'il conserva de Mô fut celle d'une mère comblée serrant contre son sein son nouveau-né.

21

Xavier traversa le hall de l'immeuble sans même se donner la peine de vider la boîte aux lettres qui regorgeait de courrier. L'ascenseur l'emporta jusqu'au cinquième. L'appartement était plongé dans la pénombre. Il actionna l'interrupteur. La lumière inonda les lieux. En manque d'arrosage et de clarté, le ficus était entré dans une lente agonie en se dépouillant d'une partie de son feuillage. Les dernières injonctions d'Angie lui revinrent aux oreilles. Surtout pas trop d'eau d'un coup, avait-elle insisté, ça ferait crever les racines. Pas d'eau du tout mène apparemment au même résultat, fit judicieusement remarquer Numéro 8. Sur le buffet de la cuisine, oranges et bananes pourrissaient dans la corbeille à fruits. Tandis qu'il traversait le salon, Xavier s'arrêta à la hauteur du cadre accroché au mur. Le cliché grand format datait de plus de quinze ans. Un gouffre. La femme, teint resplendissant, tenait contre elle l'enfant au visage poupin. L'homme enserrait dans ses bras l'un et l'autre en fixant l'objectif avec fierté. Angie avait souhaité bénéficier des services d'un professionnel pour immortaliser leur félicité. Près d'une heure de pose dans un studio photo pour capter l'image lumineuse de cette famille endimanchée baignant dans le bonheur. Cheveux bien peignés, sourires éclatants, moustache taillée méticuleusement pour l'homme, maquillage soigné mais discret pour la femme, figure bien joufflue de l'enfant, tant de perfection conférait à ce bonheur affiché une indécence insupportable. Un cliché digne d'une campagne de pub pour *Famille chrétienne* songea Xavier amèrement. Seule une bouloche laineuse oubliée sur l'épaule gauche de l'homme, microscopique point clair sur le noir du costume, entachait l'ensemble de la composition. Une fois décelée, on ne voyait plus qu'elle. Il ne se reconnaissait pas dans ce type au sourire idiot qui paraissait tellement satisfait de lui-même, de sa femme et de leur progéniture. Le cadre abritait les portraits d'êtres disparus, l'image surannée d'une famille à jamais figée sur le papier argentique, vestiges d'un monde aujourd'hui en pleine déliquescence.

— Et tous les bons moments, copain, tu les oublies ? Les soirées ciné en amoureux avec Angie, la première échographie, les sorties au jardin d'enfants, les éclats de rire d'Axel la première fois qu'il a marché, les anniversaires, les Noëls, celui où Roby avait reconnu du bout des lèvres que ton crémant de Bourgogne valait son champagne, tu les oublies tous ces moments, rappela gentiment Numéro 8.

Non, Xavier n'oubliait pas mais il y avait pire que l'oubli. Ses souvenirs s'étaient nécrosés, avaient perdu toutes leurs couleurs. Comme sur le portrait de famille, il n'en distinguait plus que les bouloches d'une netteté parfaite. Depuis quelque temps, il ne parvenait plus à voir la vie autrement qu'à travers un prisme déformant qui réfractait chaque chose et chaque être pour n'en montrer que la laideur. Il fouilla les tiroirs de la commode à la recherche de son passeport, en vérifia la date de validité, le glissa dans la poche de son jean puis pénétra dans le dressing pour remplir de vêtements la plus grosse des valises. Il jeta un dernier regard à l'appartement avant de sortir, sans rien ressentir d'autre qu'un grand vide. Le lieu où avait vécu la famille Barthoux avant que la fissure survienne au milieu de leur petite vie ordonnancée était devenu un musée.

Il quitta Clermont-Ferrand peu avant minuit et mit un peu plus de trois heures pour rejoindre Orléans.

Il passa le reste de la nuit dans son véhicule garé dans une des rues adjacentes à la gare. L'excitation du départ retomba lentement, laissant la somnolence s'installer. Le camion des éboueurs le réveilla sur le petit matin. Il traversa sous la pluie les cinq cents mètres qui le séparaient de l'immense auvent vitré SNCF. Abandonner la voiture dans cette ruelle sombre et poursuivre le voyage vers Paris à bord d'un train Intercités étaient les meilleurs moyens de brouiller les pistes. Les wagons étaient bondés. Il hissa sa valise et s'échoua sur un strapontin, le sac contenant Numéro 8 sur les genoux. Dans une heure, il serait à Paris. Une heure de bercement à regarder le paysage filer derrière la vitre embuée, au milieu de passagers à demi englués dans leur sommeil. Peu avant l'arrivée en gare d'Austerlitz, le portable vibra dans sa poche. Affiché en travers de l'écran, le prénom Angie luisait de tous ses feux. Il se fraya un chemin jusqu'aux toilettes et balança le téléphone dans le chiotte en inox avant d'écraser du pied la commande de la chasse d'eau. La gueule noire aspira l'appareil qui alla se fracasser sur les voies un mètre plus bas.

— Ah bravo, beau geste, c'est délicat, l'accueillit Numéro 8 tandis qu'il regagnait son siège.

Xavier ne prit pas la peine de se justifier. Trancher le dernier lien qui le retenait à sa vie d'avant était la seule chose qui importait, même s'il devait avouer qu'il existait des façons plus élégantes de mettre fin à des années de vie commune que celle de jeter dans les toilettes le cordon qui le rattachait à sa femme. Le réseau cellulaire étant inexistant sur Chatham Island, le mobile ne lui aurait été d'aucune utilité une fois là-bas. La veille, il avait fait rapatrier via internet tous ses fonds disponibles pour les basculer sur son compte courant. Vider le livret A, casser le plan épargne logement et essorer son plan épargne entreprise ne lui avaient pris que quelques minutes. Il disposait à présent de quarante-cinq mille euros pour subvenir à ses besoins. Angie conservait pour sa part un plan d'épargne en action bien garni géré par papa Roby, la propriété d'Alzon et l'appartement de Clermont, de quoi voir venir. Voir venir quoi ? avait questionné Numéro 8. La vieillesse, après avoir pleuré toutes les larmes de son corps un mari volatilisé du jour au lendemain ? Maigre consolation, copain. Trois grands verres de whisky n'avaient pas été de trop pour noyer le sentiment de culpabilité planté dans son crâne par le nabot.

Gare d'Austerlitz, il sauta dans un taxi. Ils longèrent les quais en direction du périphérique. Dernière image qu'il emporterait de la capitale, ces péniches qui glissaient paresseusement sur les eaux argentées de la Seine. Quarante-cinq minutes plus tard, il franchit les portes du terminal 2E. L'aéroport de Paris-Charles-De-Gaulle était une fourmilière grouillante d'êtres en partance. Les immenses tapis roulants avalaient les voyageurs sans jamais désemplir, des hommes et des femmes allant et venant dans le brouhaha ambiant, tirant des valises à roulettes ou poussant des chariots croulant de bagages. Par groupe de trois, des militaires en arme arpentaient le hall et les allées d'une démarche nonchalante. Xavier se planta sous le panneau lumineux des départs. Prisonnier de son sac, Numéro 8 n'arrêtait pas de râler. Le papier bulle peinait à étouffer ses réflexions acerbes.

— Se faire raboter le bonnet pour finir en papillote, merci du cadeau ! Et puis je ne sais pas quelle peinture la reine des coloristes m'a tartinée sur la langue mais je signale à monsieur que ça picote toujours.

La prochaine fois, c'est ta langue que je fais raboter, ça me fera des vacances !

Xavier était fatigué, rêvait de monter dans l'avion pour fermer les yeux et dormir. Il profita des trois heures d'attente avant le vol pour se familiariser avec le détecteur de localisation GPS par satellite acheté la veille à Clermont dans un magasin de produits high tech. Un concentré de technologie pas plus gros qu'une savonnette et qui, d'après le vendeur, permettait de relever avec précision ses coordonnées où que l'on se trouve sur la planète. Après l'enregistrement des bagages, il franchit le contrôle de sûreté précédant la zone d'embarquement. Passage du portique détecteur de métaux, fouille rapide, bras en croix avec palpation succincte et radiographie du bagage à main. Le nain ne cessa pas de hurler tout le temps que dura son passage aux rayons X sous le regard impassible de l'agent des douanes. Les invectives s'abattirent sur Xavier sitôt son bien récupéré à la sortie du tunnel.

— On me casse la langue, on me raccourcit, on me lime le bonnet, on m'emprisonne dans une camisole en plastique et maintenant on me bombarde de rayons, faudrait peut-être voir à se calmer là. Ça va être quoi la prochaine étape ? On me colle une nuit dans un congélateur ? On me plonge dans une marmite d'eau bouillante ? On m'enfile une plume d'autruche dans le...

C'est bon là ? T'as fini tes jérémiades ? On peut y aller ?

— On voit bien que ce n'est pas toi qui te fais martyriser la terre cuite.

Tu aurais peut-être préféré que je te laisse croupir dans ton jardinet.

— Au moins dans mon jardinet, à part les fientes d'oiseaux et la bave de limace, on ne me suppliciait pas deux fois par jour !

Ne me fais pas regretter de t'avoir emmené, rien ne m'obligeait à te prendre avec moi. N'oublie pas que je peux t'abandonner quand je veux, où je veux.

— Tu sais très bien que tu en es incapable, tu as trop besoin de ton nabot adoré.

Je me demande bien qui a le plus besoin de l'autre.

Il présenta passeport et carte d'embarquement à l'hôtesse qui lui souhaita bon vol. La douceur qui régnait dans le ventre de l'appareil contrastait avec le froid de la passerelle. Xavier fourra le sac contenant Numéro 8 dans le compartiment à bagages au-dessus de son siège. Il boucla sa ceinture, lissa sa moustache des deux mains et ferma les yeux. Au moment où l'avion s'arrachait du tarmac, il pensa à la fissure. Elle avait dû forcir depuis leur départ, creuser plus profondément son sillon dans la façade. Xavier grimaça. Elle croît sur le cadavre d'Hélène Aspic comme un bouquet d'orties sur un tas de fumier. La lézarde était-elle déjà présente au cœur du mur lorsque Angèle et lui avaient acheté la maison? La voix de Numéro 8 tomba du coffre à bagages.

— Elle était là, copain, à l'état d'embryon peut-être mais elle était déjà là, bien à l'abri derrière sa vigne vierge à attendre que tu la découvres.

Alors pourquoi j'ai mis si longtemps à la voir, tu peux me l'expliquer? Des dizaines de fois j'ai déjeuné sur cette terrasse à contempler le mur sans jamais l'apercevoir.

— Tu n'étais peut-être pas encore prêt tout simplement. Les hommes ont tous une fissure quelque part qui les attend, une fissure bien à eux, aussi unique et personnelle que leur ADN. Et si la plupart des gens passent leur vie sans jamais tomber dessus, il arrive que de petits veinards comme toi se retrouvent un beau matin nez à nez avec leur faille et se mettent à gamberger, à remettre tout en cause, à se poser enfin les bonnes questions auxquelles il leur faut soudain trouver des réponses, et peu importe que ces réponses se cachent à l'autre bout de la planète dans une bicoque posée sur une île battue par les vents au milieu d'un océan démonté. Tu ne t'es jamais demandé la raison de toutes ces disparitions jamais élucidées qui ont lieu tous les ans. Les fissures copain, faut pas chercher plus loin : les fissures.

Xavier regarda autour de lui. Parmi les deux cent quarante passagers présents à bord de cet avion, combien avaient déjà découvert la leur ? Lequel de ses compagnons de vol s'était trouvé confronté à sa lézarde ? Ce type à deux sièges de là en train de se ronger les ongles jusqu'au sang ? Cette jeune femme de l'autre côté de l'allée qui, la tête basculée en arrière, paraissait perdue dans ses pensées ? Sa voisine de gauche dont les yeux rougis racontaient les pleurs ? Le steward qui remontait l'allée avec son chariot interrompit le cours de ses pensées et lui demanda sur un ton jovial son choix concernant la boisson. Il sirota sa mignonnette de whisky en admirant la masse moutonneuse des nuages en suspension au-dessus des terres. Sept heures et demie plus tard, l'avion se posa à Dubaï pour une première escale. Il se dégourdissait les jambes dans l'aire de transit en attentant son vol pour Sydney lorsqu'on l'interpella.

— *Mister?*

Ils étaient trois. Béret vissé sur la tête, chaussures lustrées, uniforme impeccable, des douaniers tirés à quatre épingles qui l'invitèrent à les suivre sans aucune explication. Ils l'escortèrent et le firent entrer dans une pièce minuscule où ils le firent asseoir d'autorité. Le ton était ferme, les visages sévères. Un ventilateur brassait l'air.

— On dirait un mauvais remake de *Midnight Express*, copain.

La réflexion du nabot se voulait drôle mais les tremblements qui affleuraient chaque mot cachaient mal son angoisse. Confiné dans ce réduit, Xavier suait à grosses gouttes, comme le héros du film. Une sueur de coupable. Son bagage à main intriguait les autorités locales et les trois cerbères souhaitaient en savoir un peu plus sur l'origine de son contenu. Tandis qu'un premier agent secouait sans ménagement Numéro 8 pour vérifier que le corps creux n'abritait aucune substance étrangère, un deuxième prenait place au bureau. Cliquetis des touches sur le clavier, clics de la souris. Après une éternité, le douanier tourna l'ordinateur vers Xavier et fit défiler l'écran. Des centaines de statuettes glissèrent devant ses yeux, portraits d'objets d'art dérobés de par le monde et répertoriés dans un fichier international. Le troisième agent resté debout à ses côtés lui tapota l'épaule et désigna Numéro 8 du menton.

— *Pre-columbian civilization ? Aztec ? African ?*

— *Sorry ?*

Son sorry malgré le point d'interrogation qui l'accompagnait sonnait comme un acte de contrition. L'autre se pencha et lui jeta au visage chaque syllabe enrobée dans une haleine de fennec.

— *Pre-co-lum-bian ci-vi-li-za-tion, az-tec or a-fri-can ?*

— *No, no. Garden gnome, Number Eight, Frachon factory*, répondit Xavier abasourdi.

Les types ne semblaient pas vouloir comprendre, répétaient en boucle à tour de rôle la question, de plus en plus menaçants.

— *Pre-columbian civilization ? Aztec ? African ?*

Et lui de s'époumoner.

— *It's a mistake. Garden gnome, only garden gnome.*

À bout de nerfs, il demanda à celui qui paraissait le plus gradé d'entre eux à défaut d'être le plus malin l'autorisation de pianoter sur le clavier. L'apparition à l'écran de dizaines de nains de jardin après qu'il eut entré le nom de Frachon dans le moteur de recherche finit par lever les doutes et fut accueillie par les éclats de rire de ses tourmenteurs qui lui rendirent son bien et le libérèrent après un laconique « *It's okay* ».

— Les secousses, on ne me l'avait pas encore faite celle-là ! ronchonna le nabot une fois remisé dans son sac. Je n'ai quand même pas une tronche d'antiquité, rassure-moi copain.

Considère ça comme un honneur mon pote. Je ne connais pas beaucoup de tes congénères qui seraient capables de faire illusion avec une quelconque œuvre d'art pré-colombien.

Le vol entre Dubaï et Sydney fut interminable. Neuf heures vissé sur son siège, à somnoler entre deux plateaux-repas, deux mignonnettes d'alcool, deux films, le tout rythmé par les jérémiades de son compagnon. Succédant à la fraîcheur artificielle de la cabine climatisée, la fournaise du tarmac australien lui sauta au visage à sa descente d'avion. Après cette deuxième escale et cinq heures de vol supplémentaires, ils atteignirent Auckland. L'entrée en Nouvelle-Zélande ne requérait pas de visa pour un séjour touristique d'une durée inférieure à trois mois. Demain, un dernier saut de puce au-dessus des eaux bleues du Pacifique sud les amènerait à destination. Demain, Chatham Island deviendrait beaucoup plus qu'un simple trou d'aiguille sur un globe en carton.

22

La panse ventrue du vieux Douglas DC-3 de la compagnie Air Chathams brillait de tout son métal au milieu la piste. Contrairement à celui des avions de ligne modernes, l'intérieur de la carlingue était spacieux. Le tissu des fauteuils, la moquette du plancher et les rideaux des hublots ajoutaient à l'ensemble une touche rétro chaleureuse. Xavier prit place sur l'un des vingt-trois sièges que comptait l'appareil. Le bimoteur à hélices quitta Auckland sous un ciel limpide. Sitôt l'avion en l'air, le pilote fit part aux passagers de l'éventualité de devoir rebrousser chemin si le plafond nuageux trop bas sur Chatham ne permettait pas un atterrissage dans de bonnes conditions. Quelques habitués de la ligne parmi la quinzaine d'occupants grognèrent. L'hôtesse, elle, sourit et haussa les épaules comme pour excuser une plaisanterie de mauvais goût. Xavier trouvait l'annonce proprement injustifiée au vu du temps splendide qui régnait au-dehors et resta perplexe jusqu'à ce que l'avion traverse les premiers nuages une heure plus tard. Des nuages de plus en plus denses qui happèrent le bleu de l'océan pour ne plus former qu'une masse uniforme. La pluie vint frapper le fuselage avec violence. Secoué en tous sens, l'appareil luttait contre le vent au milieu du bruit assourdissant des moteurs poussés à fond. Le visage collé au hublot, Xavier ne distingua bientôt plus rien d'autre que cette purée compacte qui s'était refermée sur eux.

— Un dernier saut de puce, bravo pour la métaphore, maugréait le nabot rangé au-dessus de sa tête. Ça va bientôt faire une heure qu'on se les tape, les sauts de puce ! J'en ai ras le bonnet des montagnes russes, quand est-ce qu'on descend du manège, tu peux me le dire ?

Le grand-huit pour un petit numéro huit, c'est plutôt de circonstance.

Le gnome n'avait pas l'esprit aujourd'hui à supporter les blagues de son compagnon de voyage.

— Et ils appellent ça climat de type subpolaire océanique. Peuvent pas dire climat de type « temps pourri » tout simplement, ce serait plus clair pour tout le monde ! Et puis c'est quoi ce tas de ferraille volant ? C'est qui qui conduit, Douglas Fairbanks ?

On ne dit pas d'un avion qu'on le conduit mais qu'on le pilote, mon ami.

— Et pour un fer à repasser, on dit comment, Monsieur Je-chipote, tu peux me le dire ?

Xavier abandonna le nabot à sa mauvaise humeur et reporta son attention sur la tempête qui sévissait au-dehors. Qu'allait-il trouver au-delà de cette grisaille ? La fatigue du voyage associée aux douze heures de décalage horaire brouillaient ses pensées. Il se sentait aussi vaporeux que les nuages qu'il traversait. Bercé par les vibrations de la carlingue, il laissa son esprit vagabonder. Les tensions qui tétanisaient encore ses muscles et nouaient son estomac au départ de Paris avaient fini par disparaître. Il ne s'était pas trouvé aussi détendu depuis longtemps, comme si le basculement d'un hémisphère à un autre l'avait libéré du carcan dans lequel il s'était lui-même emprisonné au fil des années. Le DC-3 entama sa descente et creva bientôt la couverture nuageuse. L'île apparut au milieu des flots. L'appareil survola des côtes frangées d'écume avant d'amorcer un long virage sur l'aile au-dessus des eaux sombres du lagon. Le gros bimoteur toucha le sol après une ultime secousse et vint s'immobiliser au pied de l'unique baraquement qui faisait office de bâtiment aéroportuaire. La pluie cingla les passagers à leur sortie de la carlingue. Xavier traversa au pas de course le tarmac pour aller s'abriter sous la verrière. Plusieurs véhicules patientaient moteur tournant au ralenti et phares allumés. Un grand gaillard en bermuda et ciré jaune descendit du plus gros des 4×4 et rejoignit le groupe, saluant au passage les employés de l'aéroport. Il énonça à la cantonade une série de noms parmi lesquels Xavier crut reconnaître quelque chose qui ressemblait à son patronyme.

— *Mister and Misses Vanderhoven ? Motel Route Sixty Six, welcome.*

— *Mister Debuyer ? Motel Route Sixty Six, welcome.*

— *Mister Batrou ?*

— …

— *Batrou, nobody ?*

— *Barthoux, yes, it's me.*

— *Motel Route Sixty Six, welcome.*

Poignée de main à la fois virile et chaleureuse. L'homme, la soixantaine, leur dit s'appeler Akahata mais qu'on pouvait également l'appeler Bobby, c'était plus facile pour tout le monde. Tous les nommés furent invités à prendre place à bord du Land Cruiser dont les flancs étaient tagués au nom de l'établissement hôtelier. En même temps qu'il prenait son billet d'avion, Xavier avait fait réserver par l'agence de voyage sept nuits auprès de l'U.S. Route Sixty Six, l'unique hôtel de Waitangi. Une semaine, de quoi voir venir et dégoter un moyen d'hébergement un peu moins onéreux qu'une single room à cent vingt-cinq dollars néo-zélandais la nuitée.

Sitôt les bagages chargés dans le coffre, Akahata alias Bobby s'installa au volant et rabattit la capuche de son ciré, exposant aux regards de tous le tatouage qui courait sur sa joue et s'écoulait dans son cou en un entrelacs de lignes sombres. Le véhicule s'arracha de la piste dans de grandes gerbes d'eau. Assis à l'arrière, Xavier essuya de la main la vitre embuée afin de profiter du paysage malgré la visibilité médiocre. Ils longèrent le lagon intérieur sur près de cinq kilomètres avant de rejoindre la piste côtière qui menait à Waitangi. À droite de la route, le Pacifique déchaîné léchait le gris du ciel de la crête de ses vagues. Les paquets de mer s'affalaient sur la plage dans des explosions d'écume. À gauche, l'intérieur des terres était un océan de verdure fait de prés entourés de clôtures, saupoudrés çà et là de fermes et de remises. Fantômes blancs immobiles au travers du rideau de pluie, des moutons par centaines broutaient l'herbe grasse. Des pans de forêts s'élevaient par endroits, effilochant la brume en écharpes vaporeuses qui s'en allaient mourir sur les prairies environnantes. S'il n'avait rien su de l'endroit où il se trouvait, Xavier aurait parié que ce paysage bucolique était irlandais. Bercé par le va-et-vient des balais d'essuie-glace, sa tête dodelinant au gré des nombreux nids de poule qui tapissaient la route, il sentit bientôt la somnolence le gagner. Entre deux silences, le chauffeur leur expliqua que le mot Waitangi signifiait en langage maori « eaux qui pleurent », signification qui n'étonna personne à bord du véhicule et qui eut le don de raviver la mauvaise humeur de Numéro 8.

— « Eaux qui pleurent », j'le crois pas. Pourquoi pas « Fuite céleste » tant qu'ils y sont. Dis donc, qu'est-ce qu'il pue le poisson son coffre à Bobby l'Indien. Il a promené en excursion tout un banc de maquereaux dans sa bagnole ou quoi ?

Comme s'il avait entendu la remarque du gnome, le chauffeur poursuivit en expliquant que la pêche était avec l'élevage ovin l'activité principale de l'île. La discussion s'orienta alors sur les raisons de la venue de chacun dans ce trou perdu. Les Vanderhoven étaient un couple d'ornithologues qui désirait étudier de près les espèces endémiques de l'archipel. L'autre client, grand amateur de pêche extrême, rêvait de tremper ses lignes dans ce coin du monde réputé pour ses spots poissonneux. Lorsqu'arriva le tour de Xavier, celui-ci répondit par le premier mot qui lui passait par la tête : artiste. L'esprit embrumé par le décalage horaire, il avait dit cela sans réfléchir, comme il aurait dit tourisme, commerce ou accordeur de castagnettes.

— Artiste en quoi ?

Tous étaient suspendus à ses lèvres dans l'attente de sa réponse. Même Numéro 8 se mit de la partie et répéta la question d'Akahata.

— Alors copain, artiste en quoi ?

Tu ferais mieux de m'aider. Qu'est-ce que je peux dire ? Peintre, sculpteur, musicien ?

— Tu sais jouer de la musique ?

À part quelques notions de pipeau datant du CE2 *avec Madame Schillinger, non.*

— Tu as déjà sculpté ?

Jamais depuis les boudins de pâte à modeler de la maternelle.

— La peinture ?

Je révisais mes fiches pour le bac de français pendant les cours d'arts plastiques.

— Alors dis que tu es écrivain. Tout le monde est écrivain de nos jours. Pas besoin de notions particulières, pas d'instrument ni de matériel spécifique à part un stylo et un cahier. Et puis ça a de la gueule écrivain, ça porte à fantasmes. Sans parler qu'avec ta bouille à abuser de l'absinthe toutes les deux pages, tu es une vraie caricature ambulante d'artiste tourmenté. Écrivain copain, ils vont gober ça sans problème.

— Écrivain, lâcha Xavier dans un souffle.

Le chauffeur vérifia dans le rétroviseur intérieur que son passager arrière avait bien la tête de l'emploi. Écrivain, évidemment. Ni lui ni les autres ne jugèrent nécessaire de demander à Xavier quel genre de livre on pouvait bien venir écrire ici, le mot à lui seul ayant suffi à nourrir leur curiosité. Le rire du nabot monta du coffre.

— Gobé tout cru.

Quarante minutes plus tard, ils atteignaient la bourgade de Waitangi et ses trois cents âmes. Bobby-Akahata prolongea la balade jusqu'à la sortie du village afin de leur montrer le port, port qui se limitait en tout et pour tout à une simple jetée en béton sur pilotis et à une dizaine de containers rouillés croupissant sur le quai dans l'attente d'hypothétiques navires. Il fit demi-tour et engagea le 4×4 sur un chemin en contrebas de la route. L'U.S. Route Sixty Six étirait son unique étage sur le front de mer. Avec sa façade couleur crème et ses balcons aux rambardes vitrées séparés les uns des autres par un lattis de bois sombre, l'établissement avait belle allure et paraissait récent. La caractéristique première d'un motel étant de se situer en bordure d'un grand axe routier, le Route Sixty Six n'avait de motel que le nom. Implanté dans une impasse, aucun véhicule ne passait jamais devant sinon celui de rares pêcheurs locaux. Pliés en deux pour échapper aux bourrasques et à la pluie, les pensionnaires s'engouffrèrent dans le bâtiment tandis que le chauffeur déchargeait les bagages. Peter Fonda et Denis Hopper chevauchant leur chopper les accueillirent. L'immense poster d'*Easy Rider* couvrait tout un mur du hall d'entrée. Le motel était un pur concentré d'États-Unis. Une antique pompe à essence côtoyait un juke-box rutilant. Deux grandes bannières étoilées faisaient office de rideaux à l'entrée de la salle de restaurant. Une statue d'Indien grandeur nature montait la garde. Le couvre-chef en plumes d'aigle qui coiffait la tête du Sioux attira comme un aimant le couple d'ornithologues.

— Bald eagle, s'exclama la femme en caressant du bout des doigts les longues rémiges.

— Haliaeetus leucocephalus, jugea bon de préciser son époux.

Emprisonnés dans leur cadre sous-verre, les portraits de stars et de personnalités en tout genre, de Marilyn à Hemingway en passant par Hendrix ou JFK, composaient un patchwork saisissant sur les murs de la réception. Après avoir ôté son ciré, Bobby glissa sa grande carcasse derrière le comptoir pour vérifier les réservations de chacun et attribuer les chambres respectives. Toutes portaient le nom d'un État américain. Huit chambres, huit États. Pas n'importe lesquels, s'empressa de leur préciser leur hôte avec fierté. Et d'énumérer, de l'émotion dans la voix, les huit États traversés par la Route 66, de l'Illinois à la Californie. Les Vanderhoven héritèrent de l'Arizona, Debuyer du Missouri. Quant à Xavier, il se vit adjuger le Kansas. Le papier peint du couloir reproduisait des billets d'un dollar à l'infini. Il remonta le corridor sous le regard sévère de plusieurs milliers de George Washington. Le Kansas se trouvait au rez-de-chaussée et donnait sur l'arrière du bâtiment avec vue sur un talus verdoyant. La pièce exiguë abritait un lit d'une personne. Une table étroite faisait office de bureau. Pas de télé, douches et toilettes communes dans le couloir. Une cellule monastique à plus de quatre-vingts euros la nuit. Loin de le contrarier, ce confort spartiate le ravissait. Il n'était pas venu ici pour faire du tourisme. Épuisé, il s'affala sur le lit. Presque trente-cinq heures après avoir quitté la France, il était enfin arrivé à destination. L'envie d'aller jeter un œil dès à présent du côté de Maipito Road le tarauda mais les effets du décalage horaire l'emportèrent sur tout le reste et il sombra tout habillé dans le sommeil, restant sourd aux appels de Numéro 8 toujours emprisonné dans son sac et qui lui envoya bordées de jurons sur bordées de jurons jusqu'à épuisement total de ses connaissances lexicales en matière de termes orduriers.

23

Xavier s'étira, souleva une première paupière et se redressa vivement en se plaquant contre le bois de lit, effrayé à la vue du joueur de base-ball qui, batte en mains et bien campé sur ses jambes, le fixait intensément. Il lui fallut plusieurs secondes pour comprendre qu'un poster insignifiant venait de lui foutre une trouille de tous les diables. Bill Forster, le plus célèbre lanceur que le Kansas ait jamais connu d'après la légende qui courait en haut de l'affiche, ne le lâchait pas des yeux. Trop épuisé la veille au soir, Xavier n'avait pas remarqué la silhouette de papier glacé grandeur nature scotchée à même la porte. Comme lui avaient échappé les motifs du couvre-lit aux couleurs des Wichita State Athletics et l'abat-jour en forme de casquette. Qu'avaient découvert les Vanderhoven dans leur piaule Arizona ou le pêcheur dans sa Missouri ? Une affiche à l'effigie des Diamondbacks de Phœnix punaisée sur les portes de l'armoire ? Un footballeur en pied de l'équipe des Tigers de Columbia ? Il entrouvrit les rideaux. L'eau du ciel cascadait le long du talus jusqu'au pied du motel en un torrent boueux. Combien de temps avait-il dormi ? Incapable de le dire. Incapable également de dire laquelle de ces trois causes, entre le jour filtrant au travers du rideau, la faim qui labourait son estomac ou les gémissements provenant du sac posé au pied du lit, l'avait arraché au sommeil. Peut-être tout simplement les trois à la fois. Libéré de sa prison, le gnome comme à son habitude se mura dans un silence boudeur. Après une douche revigorante, Xavier accompagné de Numéro 8 sanglé dans le porte-bébé se dirigea vers la salle du restaurant. L'écriteau suspendu à la clenche présentait sa mauvaise face. *Closed.* Les images fantasmées d'œufs brouillés accompagnés de bacon et de toasts grillés nées de son imaginaire pendant la traversée du couloir s'évaporèrent aussitôt. La réception était déserte. Posées en éventail sur le comptoir, des brochures invitaient à la lecture. Le dépliant détaillait en plus du plan de l'île les commerces du village au nombre de quatre. Le motel, une banque, une agence postale et une supérette. Les mêmes bourrasques et averses que la veille cueillirent Xavier au sortir de l'U.S. Route Sixty Six et les cinq cents mètres qui le séparaient du magasin suffirent à le tremper de la tête aux pieds. Ballotté contre sa poitrine, le nabot recouvra la parole tandis qu'ils franchissaient la porte du Waitangi Store.

— Ah on les sent bien les eaux qui pleurent de Bobby l'Indien, hein copain ?

Où es-tu allé chercher que c'était un Indien ?

— Excuse-moi mais quand on s'appelle Akatata-machin-chose et qu'on a la moitié de la face bariolée à l'encre de Chine, moi j'appelle ça un Indien.

Les Maoris n'ont rien à voir avec les Indiens.

— Maori, Sioux, Apache, Aborigène, c'est bien du pareil au même, Monsieur Je-chipote.

La tignasse et la barbe encore ruisselantes d'eau, Xavier arpenta les allées à la recherche de biscuits et de jus de fruits. Les rares clients rencontrés le scannèrent de la tête aux pieds. L'un d'eux sourit, sa main droite s'agitant dans le vide pour mimer le geste de quelqu'un qui écrit. Au rayon vêtements, quelques chemisettes et tee-shirts sur cintres se balançaient sous le souffle des ventilateurs du plafond tel des spectres. Juste en dessous, une table croulait sous un amoncellement de tenues de pluie empaquetées dans leur sachet plastique.

— À voir les fringues qu'ils vendent ici, on comprend vite que les averses sont beaucoup plus à craindre que les insolations, ironisa le nain. Entre la grande saison des petites pluies et la petite saison des grandes pluies, doivent pas voir le soleil bien souvent les autochtones.

Xavier porta son choix sur un ciré jaune et se munit d'une paire de bottes en caoutchouc. Côté spiritueux, il dégota à défaut de son Jack Daniel's habituel un mauvais whisky, de quoi agrémenter les soirées sans télé de l'hôtel.

— *You are the writer?*

La caissière du Waitangi Store le regardait avec un intérêt non feint. *The writer*. Le mot sonna agréablement à ses oreilles. Il venait de découvrir que portées par le vent, les informations se répandaient rapidement sur une île comme Chatham. Rares aujourd'hui devaient être ceux à ignorer que le client de la chambre Kansas de l'U.S. Route Sixty Six était romancier, que le couple d'Arizoniens étaient amoureux des piafs et le Missourien un grand pêcheur devant l'éternel.

— Vous êtes l'écrivain français, insista la jeune femme qui était passée de la langue de Shakespeare à celle de Molière.

— Oui, c'est moi.

Un aveu lâché du bout des lèvres. Elle sourit. Un romancier, cela excusait le fait de se balader avec une statuette dégoulinante de pluie dans un porte-bébé, excentricité qui collait parfaitement avec l'idée même qu'elle se faisait d'un écrivain.

— Plutôt stylo ou ordinateur ?

— Pardon ?

— Vous écrivez plutôt au stylo ou à l'ordinateur ?

— Plutôt stylo.

— Et vous écrivez quand ? Plutôt la journée, plutôt la nuit ?

— Mais ma parole, c'est un vrai QCM ambulant, cette fille, s'indigna le nabot devant l'avalanche de questions.

— Nuit, avoua Xavier après réflexion.

Réponse après réponse, il se coulait dans le mensonge. Loin d'être désagréable, l'exercice était d'autant plus facile qu'il lui suffisait de choisir parmi la liste de réponses proposées par son interlocutrice celle qui lui convenait.

— Et vous écrivez quoi ?

— Des livres.

— Elle se doute bien que tu n'écris pas des annuaires téléphoniques, copain.

Le rire franc de la jeune femme, loin d'être moqueur, était communicatif. Un rire d'enfant.

— De la fiction, du policier, de l'historique, des biographies ?

— Fiction.

— Quels livres avez-vous déjà écrits sans indiscrétion ?

Question ouverte qui le prenait de court. Xavier ravala sa glotte, cacha sa panique derrière un gloussement débile.

Qu'est-ce que je dis, copain ?

— Un nègre, dis que tu es un nègre. Et qu'en tant que nègre, tu ne peux rien dire de ton œuvre au risque de dévoiler le nom de tes commanditaires. Ça va lui plaire, nègre. Il y a du mystère derrière tout ça, du mystère qui va nourrir ton personnage sans que tu aies besoin d'ouvrir la bouche.

Après s'être assuré qu'aucune oreille indiscrète traînait dans les parages, Xavier dévoila à la jeune femme son statut d'auteur anonyme vivant dans l'ombre des grands hommes.

— *A ghost writer !*

Elle avait prononcé le mot avec du respect dans la voix, comme si celui-ci touchait au sacré.

— Pour faire venir l'inspiration, plaisanta la caissière tandis qu'elle flashait le code-barres de la bouteille de whisky.

L'alcool faisait partie intégrante de la panoplie de l'écrivain. Il afficha un sourire entendu.

— Le génie est dans la bouteille, à condition de pouvoir se relire.

— Ça vous fera soixante-seize kiwis, Monsieur L'Écrivain-Fantôme. Excusez-nous mais on n'a plus grand-chose en rayons, le bateau doit nous livrer en fin de semaine, si la tempête veut bien se calmer.

— Vous parlez rudement bien le français, la félicita Xavier.

— Mère suisse romande et père néo-zélandais. De la Suisse, j'ai hérité en plus du goût pour le chocolat celui pour la langue. Et si vous cherchez une interprète, n'hésitez pas, je peux me libérer.

— Merci, j'y penserai, promit-il en ramassant sa monnaie.

Il sortit l'imper jaune soleil de son emballage et l'enfila. L'habit flambant neuf dégageait une entêtante odeur de plastique.

— Je m'appelle Legna, ajouta-t-elle dans son dos tandis qu'il passait le seuil de la supérette.

Il se retourna et lui lança son prénom à travers le rideau de pluie.

— Les filles d'ici ne sont pas du tout à l'image du climat local, constata le gnome.

Legna, drôle de prénom, songea Xavier en empruntant le chemin de l'hôtel.

— Tout l'inverse d'Angèle, fit remarquer Numéro 8.

Le nabot avait raison. Si Angèle était plutôt mince avec des cheveux blonds, des yeux bleus, une peau claire et une bouche étroite, la jeune femme, avec sa chevelure noir de jais rassemblée en queue de cheval, son front haut et dégagé, des yeux noisette en amande s'étirant au-dessus de pommettes bien dessinées, une peau sombre et des lèvres légèrement charnues, était physiquement tout son contraire. Ses formes généreuses dégageaient quelque chose de rassurant.

— Je ne te parle pas du physique, je te parle du prénom, s'énerva le gnome.

Quoi le prénom ?

— Son prénom, tout l'inverse d'Angèle.

Comment ça, tout l'inverse d'Angèle ?

— Legna lu à l'envers, ça donne quoi d'après toi ?

La révélation le laissa pour un temps interdit. L'averse crépita sur la capuche du ciré comme pour mieux faire pénétrer les mots dans son esprit. LEGNA, ANGEL.

— À chaque recto son verso, copain.

Il reprit sa marche, songeur. En allait-il de même pour tous les habitants d'Alzon ? Existait-il sur cette île un double inversé de chacun, sorte de négatif photo où le blanc devient noir et le noir blanc ? Et si oui, à quoi pouvait bien ressembler son propre négatif ?

— La maison sur Maipito Road, copain. S'il existe un négatif de Xavier Barthoux sur cette Terre, m'est avis que c'est là-bas qu'il doit se trouver et pas ailleurs.

À l'approche du motel, Xavier s'arrêta une seconde fois. La pluie buvait la lumière du fronton, dessinant un halo éclatant au centre duquel luisait l'enseigne de l'établissement. Route 66. Il tressaillit. Le panneau à l'entrée du village d'Alzon lui revint en mémoire. D999. La voix du nabot s'engouffra sous la capuche, plus rauque que jamais.

— À chaque recto son verso, mon pote.

24

Sans prendre le temps d'ôter ses vêtements mouillés, Xavier engouffra l'intégralité d'un paquet de cookies entre deux rasades de jus de fruits. Une heure plus tard, rassasié, des habits secs sur le dos, le fardeau de terre cuite collé au ventre, il quittait la chambre. Numéro 8 ne manqua pas d'invectiver au passage le joueur de base-ball qui barrait la sortie.

— Pousse-toi de notre chemin, Bill de mes deux !

Bill de ses deux s'effaça, le dos scotché à la porte.

Accoudé au comptoir de la réception, Akahata était plongé dans la lecture. L'exemplaire du roman *Le Vieil Homme et la Mer* qu'il tenait entre les mains avait connu des jours meilleurs. À l'arrivée de son pensionnaire, il déposa avec délicatesse une énorme plume d'albatros entre les pages et releva la tête. Les cheveux rassemblés en un catogan serré, une casquette à large visière sur la tête, son torse puissant couvert d'un débardeur taille 3XL, tout en lui exprimait à la fois décontraction et force tranquille.

— Je l'ai lu des dizaines de fois mais je ne m'en lasse toujours pas, avoua comme pour s'excuser le géant tatoué.

Les nombreuses pages cornées et la couverture à demi déchirée du bouquin attestaient ses propos.

— La Kansas vous convient ?

— Parfait, mentit Xavier.

Une chambre un peu plus vaste donnant sur autre chose qu'un talus herbeux dégoulinant de boue ne lui aurait pas déplu.

— Ah le Kansas, c'est quelque chose vous savez. Dans le genre grandiose, y a pas mieux. Des champs qui n'en finissent plus de chaque côté de la 66, sur des miles et des miles. Du blé à perte de vue, faut le voir pour le croire. Un océan d'épis ondulant dans le vent sous le soleil brûlant du Middle West, des étendues à vous donner le tournis.

L'accent de l'hôtelier s'était adouci à l'évocation de cette région d'Amérique. Des mots mâchouillés sur une tonalité plus basse, une prononciation plus gracieuse. Et un visage que le ravissement illuminait. Son regard se perdit un instant dans le jaune du ciré de son interlocuteur. L'homme s'absenta le temps de parcourir sur sa Harley quelques miles d'asphalte au milieu des plaines du Kansas avant de s'ébrouer pour réintégrer la réception du motel Route Sixty Six.

— Jamais vu des champs aussi grands, conclut Bobby.

Bien que limité dans son anglais – il ne saisissait en moyenne qu'un mot sur trois – Xavier parvenait à combler les vides intuitivement et sans effort, chose qu'il peinait à faire lors des entretiens téléphoniques avec les Américains de chez Céramix. Nul besoin ici de connaître la signification précise de chaque terme de la conversation pour en extraire le sens général.

— Peut-être parce que les propos de Bobby l'Indien t'intéressent un peu plus que le charabia commercial de tes amerloques de Céramix, analysa Numéro 8.

— Vous sortez par un temps pareil ? s'inquiéta l'hôtelier.

— Juste un petit tour du côté de Maipito Road.

— À part les vaches de la mère Adams, je ne vois pas bien ce que vous pourrez trouver par là-bas, vous savez.

— Besoin de prendre l'air.

— Je comprends. De l'air pour l'inspiration. Ernest aussi a dû prendre l'air plus d'une fois sur son île de Cuba pour écrire son chef-d'œuvre.

Bobby-Akahata le gratifia d'un clin d'œil.

Après avoir consulté une dernière fois le plan de l'île, Xavier s'engagea d'un pas décidé en direction de Maipito Road. Aux abords de la mairie, un panneau en forme de flèche dirigeait sa pointe vers le sol. Une main habile avait gravé à même le bois l'inscription *Alzon 12 800 km France.*

— Y a plus qu'à suivre la flèche et retourner au point de départ, copain. Si ça c'est pas un signe, je ne sais pas ce que c'est, s'exclama le gnome.

Pas un signe, l'ami, juste un rappel pour me souvenir qu'il existe une autre face.

Il sourit en songeant au village cévenol et à ses cent quatre-vingt-dix âmes plongées dans le sommeil de l'autre côté de la planète. Il pensa à la fissure, comment celle-ci avait dû étendre son réseau à l'ensemble des murs, fendillant les briques les unes après les autres. Il imagina la fouine tapie dans le grenier, lovée autour du souvenir d'un œuf qui se refusait à réapparaître. Tandis qu'il s'éloignait du centre de Waitangi, les habitations se firent plus rares. Il n'y eut bientôt plus que les champs et ce chemin de terre à peine carrossable qui n'avait de route que le nom. Le détecteur de localisation GPS par satellite rangé dans la poche du ciré battait sa cuisse au rythme de sa marche. La pluie cessa enfin. Le vent tomba, laissant s'installer la brume. La terre restituait au ciel une partie de ses eaux qui s'élevait en fumerolles dans l'air humide. Les gouttelettes en suspension vernissaient la peau de son visage, constellant sa barbe de diamants liquides. Il marcha longtemps au milieu de cet univers cotonneux, s'enfonçant toujours plus profondément vers l'intérieur de l'île, ses bottes frappant le sol détrempé. Il foulait une nature grouillante de vie qui se révélait à lui par petites touches sonores à travers le brouillard. Un bruissement dans les hautes herbes, un piaillement jaillissant du fossé proche, le froissement des feuilles d'un buisson bousculé par l'envol d'un oiseau ou un meuglement paresseux montant des prés alentour. Lâcher prise et se laisser étourdir au fil de ses pas au milieu de la nature foisonnante avait quelque chose d'agréable. Pendant un temps, il ne sut dire où il se trouvait. Cette purée de pois lui faisait perdre tout repère. Rien ne ressemblait plus à un brouillard qu'un autre brouillard. Celui d'Alzon par une de ces journées printanières, lorsque les parcs gorgés de rosée exhalent leur brume matinale, ressemblait à s'y méprendre à celui de Chatham. Hélène Aspic lui apparut au milieu de la grisaille.

La silhouette massive et sombre flottait au-dessus du sol à droite du chemin. Numéro 8 cria. Jamais depuis qu'il l'avait entendue la première fois sur la terrasse d'Alzon la voix du nabot n'avait résonné avec autant de terreur.

— Un zombie ! Elle a déchiré la toile cirée avec ses dents pourries, a gratté la terre de la cave, nous a suivi à la trace, a posé son gros cul décomposé dans le premier avion et la voilà qui revient pour nous bouffer !

Arrête !

L'épouvantail en salopette bleue dressé en bordure de pré avait fait illusion à merveille. Xavier s'invectiva. Si ses souvenirs étaient bons, les images satellite de Waitangi montraient que la route après une longue ligne droite débouchait sur une parcelle forestière puis devenait sinueuse avant de s'en aller mourir dans une cour de ferme, dernière habitation de Maipito Road. La maison qu'il cherchait devait se trouver une centaine de mètres plus en amont, juste avant les premiers arbres, sur la gauche du chemin. Il reprit sa marche. Moins de dix minutes plus tard et alors que le doute commençait à s'installer, il aperçut la masse sombre et rectangulaire d'une bâtisse. Il foula les hautes herbes détrempées qui le séparaient de la masure. Posée sur un muret de pierres, une boîte aux lettres finissait de rouiller, sa gueule béant sur une pile de prospectus délavés par les intempéries. Le cœur de Xavier s'emballa à la vue de la pancarte plantée plus loin au milieu des herbes folles. *For sale.* Il se crut revenir plusieurs années en arrière lorsque Angèle et lui étaient tombés sur la résidence des Cévennes. Même état d'abandon, même végétation envahissante, même calligraphie hésitante. Recto, verso. La résidence secondaire d'Alzon avait elle aussi son propre négatif ici à Chatham Island. La comparaison s'arrêtait là. Cette maison-ci était beaucoup plus petite, deux pièces voire trois tout au plus, et ne comportait pas d'étage. Les tôles qui composaient sa toiture avaient pris une belle teinte brun orangé sous l'effet de l'oxydation. Les murs étaient faits de planches grossières, disjointes par endroits. Leur peinture blanche n'était plus que boursouflures qui s'effritèrent sous ses doigts telles des peaux mortes lorsqu'il les caressa. Les trois marches pour accéder au perron grincèrent sous son poids. La clenche de la porte d'entrée lui résista. Il n'insista pas et colla son visage à la fenêtre la plus proche pour fouiller du regard les ténèbres qu'abritait la baraque. Il revit Angie faire de même quatorze ans auparavant, la main en visière au-dessus de ses yeux pour scruter les entrailles sombres du pavillon.

— Un mobil-home décati, cracha un Numéro 8 désabusé. Ah ça valait bien la peine de se taper tout ce voyage pour tomber sur un pareil taudis.

Tu t'attendais à quoi ? Un manoir, un château, un palace avec piscine ? Qu'est-ce que ça peut bien faire que ça ressemble plus à un mobil-home qu'à une maison d'architecte ? La seule chose qui compte, la seule pour laquelle on est venu jusqu'ici, c'est ce qui nous attend derrière ces murs de planches, mon petit pote.

— Désolé mais à part des souris et de la vermine, je ne vois pas bien ce que cette ruine pourrait abriter d'autre. Je la sens pas bien. On s'est peut-être emballé un peu vite avec cette histoire de signes. Je pense qu'on ferait mieux de rentrer.

Ma parole, tu as la trouille !

Malgré l'état de délabrement de la bicoque, le terrain laissé à l'abandon et le brouillard persistant, il se dégageait de l'endroit un sentiment de paix. Xavier tira de sa poche le détecteur GPS et appuya sur le bouton de mise en marche. L'écran s'illumina. Une fois la liaison avec le satellite établie, les coordonnées de sa position s'affichèrent aussitôt.

S 43°57'52.6174"
W 176°32'57.6221"

À quelques décimales près, les mêmes données que celles révélées par les calculs effectués à Alzon. La localisation de l'antipode de la fissure à son point d'entrée dans le sol de la cave était tout proche. Il fit le tour de la masure, s'arrêtant tous les trois mètres pour consulter l'écran. Toutes les mesures confirmèrent ce qu'il savait déjà : l'endroit précis qu'il cherchait se trouvait à l'intérieur de ces quatre murs. La pancarte plantée au milieu du terrain attira une nouvelle fois son regard. *For sale.*

— Tu n'y penses quand même pas, copain ? s'étouffa le gnome.

Sans aller jusqu'à acheter, on peut peut-être voir s'il n'y a pas moyen de le louer, ce mobil-home, Monsieur Grincheux-qui-a-les-chocottes.

Et tandis qu'il retrouvait la terre détrempée du chemin pour rentrer sur Waitangi, son rire se mêla aux vociférations de Numéro 8.

25

Les jérémiades du nabot ne faiblirent qu'à l'approche du village.

— Le climat d'ici n'est pas bon pour ma terre cuite. Ça me craquelle l'argile, toute cette humidité. T'aurais mieux fait de me laisser à Alzon, j'aurais pu vieillir tranquillement à l'ombre de mes rhododendrons en regardant la fissure finir son travail de destruction tout en consolant ton épouse éplorée.

Et te faire bouffer par la zombie qui dort dans la cave.

— Oh c'est bon, tu as eu comme moi la trouille de ta vie, copain, avoue.

Ici aussi tu pourrais avoir un joli petit jardinet comme dans l'hémisphère nord.

— Pour se prendre des chiures de mouettes sur le bonnet et entendre meugler à longueur de journée, non merci. En plus quand le vent souffle des terres, ça pue la vache et quand il vient de la mer, ça pue le poisson. Je n'aime ni la vache ni le poisson.

Fais-moi penser à l'occasion à dresser une liste des choses que tu aimes, on gagnera du temps. Moi, elle me plaît bien, cette bicoque. Il y a quelque chose entre ses murs, je ne sais pas quoi encore mais c'est là, quelque chose qui m'attend.

— Tu veux que je te dise ce qui t'attend ? De la désillusion, voilà ce qui t'attend, copain. De la désillusion, des souris et des cafards puants.

De retour à l'hôtel, Xavier jugea qu'il était grand temps de prendre un vrai repas. Son dernier plat chaud remontait à celui servi par l'hôtesse dans l'avion entre Dubaï et Sydney, une purée fadasse accompagnée d'une matière enrobée de panure, matière dont il n'avait su déterminer s'il s'agissait de poulet ou de poisson. À son grand soulagement, l'écriteau du restaurant annonçait *Open*. La salle était à l'image du reste de l'hôtel : américanisée à l'excès, route-sixty-sisée jusque dans les moindres détails. Le bar aux couleurs de Coca-Cola étirait son zinc sur plusieurs mètres devant une armée de tabourets. L'énorme coquillage Shell Gasoline suspendu au plafond diffusait une lumière tamisée.

Au-dessus de la porte d'entrée, un pare-chocs rutilant exposait ses chromes. Au sol, le carrelage noir et blanc composait un vaste échiquier. Rencogné au fond de la salle, un juke-box monumental alternait morceaux de rockabilly et musique country. Sans surprise, Xavier compta huit tables. Sur chacune d'elles, vissées à même le bois, les plaques minéralogiques de chacun des huit États. Il salua les Vanderhoven attablés en Arizona, fidèles à leur chambre d'adoption. Deux autres clients mangeaient au Nouveau-Mexique, un troisième en Oklahoma. Toujours ronchon, Numéro 8 y alla de son couplet.

— Ça n'est plus une passion, c'est un toc cette manie qu'il a de tout étiqueter en fonction des États traversés par la Route 66, ton Bobby l'Indien. Si l'année comptait huit mois, sûr qu'il nous les aurait rebaptisés à sa sauce. Noël tomberait en Missouri, Pâques en Texas et le 15 août s'appellerait le 15 Illinois.

La serveuse qui déboula des cuisines les bras chargés d'assiettes affichait un âge canonique. Le calot vissé sur sa tête contenait sans peine la chevelure neigeuse. Le corsage jaune et la jupe rouge qui couvraient son corps menu, les socquettes blanches et les baskets, tout dans son accoutrement de serveuse aurait pu paraître caricatural s'il n'y avait eu le regard. Les prunelles qui luisaient comme deux billes d'agate au milieu de la peau ambrée vous faisaient vite comprendre qu'elle était tout sauf une caricature. Son aspect fragile contrastait avec l'énergie qui émanait de sa personne. Elle l'invita à prendre place où bon lui semblait. Il échoua son fessier sur le skaï de la banquette californienne, histoire de faire une infidélité au Kansas le temps d'un repas. Débarrassée de ses assiettes, la vieille femme tira de la poche ventrale de son tablier la carte des menus et lui glissa d'autorité entre les mains. Le merci de Xavier se perdit dans le sillage de la serveuse déjà avalée par les portes battantes des cuisines.

— Très bon choix la Californie.

Xavier sursauta. Plongé dans la contemplation de la carte, il n'avait pas entendu Bobby arriver derrière lui.

— La Californie a tout pour elle, vous savez, poursuivit l'hôtelier. Le soleil, les jolies filles, Hollywood, Frisco, Los Angeles, le parc de Yosemite. La Route 66 ne s'y est pas trompée en finissant sa course là-bas. Elle a gardé le meilleur pour la fin. Et je peux vous dire que la voir se noyer dans l'océan Pacifique au bout de la jetée de Santa Monica à l'heure où le soleil se couche est un spectacle qu'on n'oublie pas.

L'homme parlait de la route comme d'une entité vivante.

— Oui, un spectacle qu'on n'oublie pas.

Il avait répété les derniers mots en posant sa grande paluche sur l'avant-bras de Xavier. Quelques secondes furent nécessaires à Bobby pour s'extirper du bout de plage de la côte ouest des États-Unis d'Amérique dans laquelle il s'était ensablé.

— Alors, ça avance ? demanda l'homme revenu de sa traversée.

— Pardon ?

— Le livre, il avance ?

— Le livre ?

Numéro 8 lui rappela son statut d'écrivain.

— Ah le livre, oui, il avance doucement, *slowly*.

— Et on peut connaître le titre ?

— ... *The Garden Gnome*, lâcha-t-il après un temps de réflexion, mais ce n'est pas encore définitif.

Ignorant la quinte de toux du nabot, il fit part à Bobby de son désir de trouver sur l'île un petit coin calme pour écrire, une résidence d'auteur en quelque sorte, loin de tout, pour un mois ou deux. Il lui parla de cette cabane à vendre sur laquelle il était tombé en se baladant sur Maipito Road, tout à fait le genre d'endroit qu'il cherchait. Savait-il s'il y avait un moyen de contacter le propriétaire pour lui proposer de louer ladite baraque à défaut de l'acheter ?

— La maison du vieux Howlett ? Qui pourrait bien avoir envie de louer une bicoque pareille, grimaça l'homme, il n'y a ni eau courante ni électricité.

— Qu'est-ce que je disais ! s'exclama le nabot. Je savais bien que ça allait se terminer façon Koh-Lanta.

— Un écrivain en recherche d'inspiration par exemple.

— Ce vieil emmerdeur de Caleb Howlett est mort il y a deux ans, faudrait voir ça avec sa petite fille, annonça Bobby songeur. Vous la trouverez à la banque, c'est là qu'elle travaille. Ouvert tous les matins du lundi au vendredi de 10 heures à 14 heures sauf le mercredi. Mais bon courage, s'il y a une chose dont la gamine a hérité du vieux Caleb, c'est bien de son caractère.

— Aka, laisse travailler ta mère et arrête d'importuner les clients.

Ce disant, la serveuse avait bousculé son fils sans ménagement.

— Maman, je te présente Monsieur Xavier Barthoux.

Et de lui souffler à l'oreille : l'écrivain.

La mère de Bobby, calot compris, mesurait deux têtes de moins que son fils. Comment une femme si frêle et si petite avait-elle pu engendrer un tel géant ?

— Oui eh bien ça ne me dit pas ce que ça mange, un écrivain.

Pas de temps mort avec la dame. Le pseudo écrivain consulta la carte qui se limitait à deux plats, photos à l'appui. « *Fish and Chips* » ou « *Beef and Chips* ».

— Tout est maison, sauf la bière, précisa la vieille femme.

— De la Budweiser, ajouta fièrement Bobby, le regard pétillant. Je la fais venir spécialement des États-Unis.

— À prix d'or, râla la vieille.

— *Mummy*, je t'ai déjà dit mille fois qu'il n'en existe pas de meilleure. Et avec le *fish and chips*, c'est un régal. D'ailleurs c'est ce que je vous invite à prendre. Le poisson frit de ma mère est réputé dans tout l'archipel.

Xavier suivit ses conseils. Poisson frit, bière et frites maison, une avalanche de calories qui aurait rendu hystérique Angèle.

— Maman, monsieur aimerait louer la maison du vieux Caleb sur Maipito Road, tu penses que c'est possible ?

— Il ne vous plaît pas, notre motel ? Parce que niveau confort, vous ne trouverez pas mieux dans le coin, et encore moins dans la baraque du dernier des Moaï.

— Le dernier des quoi ?

— Le dernier des Moaï. C'est comme ça que tout le monde l'appelait ici.

— Pourquoi ?

— Rapport aux immenses statues de l'île de Pâques, expliqua Bobby. Caleb Howlett en était le plus éminent spécialiste, on venait le consulter du monde entier pour ça, il a passé presque toute sa vie à les étudier avant de revenir finir ses jours sur Chatham Island.

— Et il aurait mieux fait de se contenter de ses satanés Moaï plutôt que de se mettre en tête de réveiller nos fantômes.

— Arrête maman, c'est de l'histoire ancienne maintenant.

— Vous aussi vous étudiez les statues, demanda la vieille en désignant Numéro 8 du menton.

— Sujet de son prochain livre, pour l'inspiration, répondit Bobby à sa place. Pour le dessert, s'il vous reste de la place, prenez la tarte aux pommes, conseilla-t-il avant de s'en retourner vers la réception.

Le dernier des Moaï. Xavier regarda le nabot posé sur la banquette à ses côtés et sourit devant l'incongruité de la situation. Lui et son nain d'argile allaient peut-être habiter la maison d'un type qui avait passé sa vie entouré de géants de pierre.

26

La tempête ancrée sur l'archipel depuis son arrivée s'était retirée pendant la nuit. Au matin, la brise soufflant du large avait lavé le ciel de ses dernières salissures nuageuses. La lumière aveuglante agressa les rétines de Xavier à la sortie de l'hôtel. Assis sur un banc face à l'océan, Bobby terminait la lecture de son *Vieil Homme et la Mer*.

— Bien dormi ?

— Comme un loir.

L'excursion sur Maipito Road l'après-midi, le repas hautement calorique et les deux verres de whisky avalés juste avant le coucher l'avaient assommé.

— Et avec le petit-déjeuner que votre mère vient de me servir ce matin, je ne suis pas prêt de tomber d'inanition.

— Désolé pour la cuisine de maman, je sais qu'elle est un peu trop riche mais elle ne sait pas cuisiner autrement.

— Quel âge a-t-elle sans indiscrétion ?

— Elle a eu quatre-vingt-deux ans cette année et n'envisage pas de rendre son tablier. Tant qu'il restera de l'huile dans la friteuse, je continuerai, m'a-t-elle répondu la dernière fois où j'ai osé aborder le sujet. J'ai toujours entendu mon père dire qu'elle était plus têtue qu'un demi de mêlée All Blacks.

— Bonne lecture.

— Saluez la petite fille du vieux Caleb de ma part.

Xavier abandonna l'hôtelier à sa partie de pêche littéraire et prit la direction de la banque. Le sigle de l'ANZ Bank apposé à droite de l'entrée s'étirait en lettres blanches sur fond bleu, seul signe extérieur de la présence d'un organisme bancaire. Comme la supérette et plusieurs des habitations rencontrées, la succursale qui faisait également office de bureau de poste tenait plus du module préfabriqué que d'un véritable bâtiment.

— Un cargo transportant des mobil-homes a dû s'échouer un jour sur les récifs de l'île et tous les péquenauds du coin sont venus se servir, avança Numéro 8.

Ignorant la remarque de son compagnon, Xavier poussa la porte. L'intérieur était dépouillé à l'extrême. Dans un coin, deux chaises attendaient le client devant une table basse où s'empilaient quelques magazines. Seule une plante verte tentait de donner un peu de vie et de chaleur au décor. À son entrée, l'employée affairée derrière le guichet releva la tête.

— Tu constateras que les filles d'ici sont à l'image de leurs baraques, elles ont toutes la même bouille.

Le nain avait raison. La guichetière ressemblait trait pour trait à la jeune femme du Waitangi Store. Même cheveux tirés en arrière, même corpulence, mêmes yeux légèrement en amande.

— Bonjour Monsieur Le-Ghost-Writer.

Et même voix.

— Bonjour... Legna, c'est bien ça ?

— Pour vous servir.

— Banquière le matin, caissière l'après-midi, plaisanta-t-il en guise de préambule.

— Là, c'est mon vrai travail. Au magasin, je ne fais que remplacer mon père les jours où il s'absente pour aller à Wellington. Alors ce livre, il avance ?

La question à la mode sur l'île ces jours-ci.

— Doucement, mais il avance.

— Que puis-je pour vous ?

— Je suis à la recherche de la petite fille de Monsieur Howlett.

À ces mots, son interlocutrice s'était mise sur la défensive. Elle le transperça du regard.

— Des Howlett, ce n'est pas ce qui manque ici, il y en a cinq ou six sur l'île. De quel Howlett voulez-vous parler ?

Il perçut une pointe d'agressivité dans la voix de la jeune femme.

— Caleb, j'aurais aimé parler à la petite fille de Caleb Howlett, celui qu'on appelait le dernier des Moaï.

— Surnom qu'il trouvait ridicule mais qui lui a survécu. Et qu'est-ce qu'un écrivain français peut bien vouloir à la petite fille de Caleb Howlett ?

Le ton était on ne peut plus suspicieux. Xavier se lança. Reprenant presque mot pour mot l'explication qu'il avait servie à Bobby, il lui fit part de son désir de louer pour quelque temps la masure de Maipito Road. À la fin de l'exposé, Legna s'était radoucie, surprise que quelqu'un puisse trouver un quelconque intérêt à la bicoque de son ancêtre.

— Ça va faire bientôt deux ans qu'elle est à vendre, lui avoua-t-elle, et en deux ans, personne n'a jamais demandé à la visiter malgré un prix plus que dérisoire. J'ai bien essayé de convaincre mon père de la garder mais il ne veut plus rien avoir à faire avec tout ce qui touche de près ou de loin à son géniteur. Pas bon pour les affaires d'après lui.

Ici, dès qu'on prononce le nom de Caleb Howlett, les gens ont une fâcheuse tendance à tourner les talons.

Xavier repensa à la moue contrariée de Bobby et à l'animosité dont avait fait preuve sa mère à l'évocation du bonhomme.

— Sans vouloir paraître indiscret, qu'a fait votre grand-père pour mériter un tel traitement ?

— Ce qu'il a fait ? Rien d'autre que remuer la vase, tout simplement remuer la vase.

— On ne devient pas pestiféré simplement parce qu'on remue de la vase.

— Il est certaines boues qu'il vaut mieux laisser en paix, même sur une île, surtout sur une île. Moins d'un an après son arrivée ici, il a commencé à s'intéresser au passé de Chatham Island. Vous savez, les scientifiques bornés comme il l'était ne s'arrêtent jamais, ils cherchent toujours un os à ronger. Il a pratiqué comme il l'avait fait pendant des décennies avec ses Moaï. Il a dépecé l'histoire de l'archipel chirurgicalement, en l'auscultant comme personne ne l'avait jamais fait avant lui, a fouillé le passé sur un siècle, puis sur deux, s'est penché sur les morts sans un seul instant se soucier des vivants. Il a soulevé des pans entiers d'oubli, libéré des choses qui n'auraient pas dû l'être et qui sont remontées à la surface. Et pas seulement un os, oh non, mais tout un tas de squelettes que beaucoup auraient préféré voir restés enfouis. Mais on n'est pas là pour parler de mon grand-père, c'est sa maison qui vous intéresse, pas lui. Vous allez finir par croire qu'elle est hantée si je continue. Je parlerai de votre demande à mon père dès son retour de Wellington. Si vous voulez, je peux vous la faire visiter aujourd'hui en début d'après-midi, je peux me faire remplacer au magasin. Vous allez peut-être changer d'avis en la voyant.

— J'espère bien, murmura Numéro 8.

— En début d'après-midi, ce sera parfait.

— Je passe vous prendre sur les coups de 14 heures 30 si ça vous convient. Vous logez où ? Au motel ?

— Au motel, oui. À ce propos, j'allais oublier, vous avez le bonjour de Bobby.

— Comment va ce vieil Aka ? Toujours à arpenter sa 66 ?

— Plus que jamais. Il a dû la parcourir plus d'une fois pour la connaître à ce point-là. C'est étrange cette relation quasi obsessionnelle qu'il entretient avec elle, il en parle comme d'une femme dont il serait tombé amoureux.

— Les histoires d'amour à distance sont parfois les plus belles.

— C'est-à-dire ?

— Si je vous le dis, vous ne me croirez pas. De toute sa vie, Aka n'est jamais allé plus loin que les faubourgs de Portland. Il n'a jamais posé le moindre pied aux États-Unis, et encore moins sur la Route 66.

— …

— L'Amérique d'Akahata est celle des grands espaces, celle de Steinbeck, de Jim Harrison, d'Hemingway, de John Huston, de James Dean, du photographe Robert Adams, du peintre Edward Hopper, son Amérique à lui est une Amérique forgée à travers les livres, le cinéma, la peinture, la musique. Dès sa prime jeunesse, il a pioché chez chacun d'eux ce dont il avait besoin, une pincée de littérature par-ci, un extrait de film par-là, un refrain de chanson, une photo, un tableau, a mixé le tout pour en faire un pays imaginaire plus vrai que nature traversé par la 66. Il en est arrivé à renier une partie de lui-même, préférant ce prénom de Bobby à celui d'Akahata. Il a soixante-deux ans mais si vous lui demandez son âge, il vous répondra le plus sérieusement du monde qu'il en aura soixante-six dans quatre ans. La Route le possède jusque dans le calcul de son âge. À la mort de son père, la première chose qu'a faite Aka a été de transformer l'hôtel pour en faire un concentré de cette Amérique fantasmée.

— Aucune femme n'est jamais parvenue à le détourner de cette obsession ?

— Ce n'est pas faute d'avoir essayé. En plus d'être l'un des plus beaux partis de l'île, Aka était et reste encore aujourd'hui un des plus beaux tout court. Toutes les filles du coin ont tenté à un moment ou à un autre de se glisser dans sa vie. Si la plupart ont échoué, quelques-unes y sont parvenues mais aucune n'est restée plus de quelques mois. La Route agit comme un poison. C'est une maîtresse qui ne se partage pas et qui peut rendre folle. Seule une mère peut supporter une folie pareille. La mère a d'ailleurs fini par épouser la religion du fils, plus par amour pour lui que par conviction. Elle s'est glissée dans le décor qu'est devenu le motel, jusqu'à renier son propre prénom de Mikayla pour adopter celui de Rosie. Seule solution pour elle pour ne pas perdre son fils, faire partie du rêve pour ne pas rester au bord de la route. Aka ne quitte Chatham Island qu'une fois l'an au moment des fêtes de fin d'année pour passer une semaine chez sa sœur à Portland. Une semaine entouré de ses neveux et nièces, à jouer au Père Noël, à s'empiffrer de gâteaux, à aller voir des films en ville. Une semaine loin de sa satanée Route 66, à étouffer comme un poisson sorti de son bocal le temps de changer l'eau et qui ne rêve que d'une chose, y retourner.

— Mais admirer de ses propres yeux les paysages dont il parle si bien, parcourir les huit États, côtoyer leurs habitants, toucher de la main le macadam de la vraie Route 66, il doit bien en rêver tout de même.

— Vous voulez que je vous dise, même si demain vous lui offrez la possibilité de réaliser ce rêve, Aka ne la saisirait pas. Oh, il ne vous donnerait pas la vraie raison de son refus, il trouverait une excuse bidon, s'abriterait derrière l'impossibilité de fermer l'hôtel, prétexterait qu'il ne peut pas laisser sa mère toute seule. Jamais il n'avouerait ce qu'il sait au plus profond de lui-même : que la réalité tuerait le mythe, ferait voler en éclats cette Amérique qu'il s'est patiemment construite toute sa vie durant. Une réalité qui pourrait jusqu'à le tuer lui-même.

L'arrivée d'un client mit un terme à leur tête à tête.

— 14 heures 30 devant l'hôtel ?

— On vous attendra.

— On ?

Xavier tapota le bonnet de Numéro 8, geste qui fit naître un grand sourire sur les lèvres de la jeune femme.

— Finalement, je crois que ça n'aurait pas déplu au vieux Caleb qu'un écrivain vienne s'installer dans sa bicoque.

27

Assis sur le banc, Xavier buvait les rayons du soleil aux côtés de Bobby. Face à eux, le Pacifique étirait ses eaux bleues. Au loin, de rares bateaux de pêche balafraient sa surface de leur sillage blanc. Le regard posé sur l'horizon, l'hôtelier parlait depuis près de vingt minutes. Sa voix se mêlait aux piaulements des albatros qui tournoyaient haut dans le ciel.

— Le meilleur moment pour la faire, c'est en hiver, poursuivit le grand gaillard. Beaucoup moins de monde en hiver. Bien sûr, la température n'est pas la même. Ça peut descendre jusqu'à moins quarante dans certains cols du Nouveau-Mexique mais les paysages enneigés valent bien ça.

Un jour, je suis tombé en panne avec ma Camaro de location du côté de Snowflake, autant dire au milieu de nulle part. Je peux vous dire que l'endroit ne porte pas ce nom-là pour rien. Une nuit dans le froid et la neige à attendre que la dépanneuse se pointe. En parlant du Nouveau-Mexique, tout le monde vous conseillera le Blue Swallow Motel de Tucumcari mais pour moi, ça ne vaut pas le El Rancho à Gallup. C'est là-bas que dormaient les équipes de tournage. John Wayne y est souvent descendu. Et puis c'est dans ce coin qu'on trouve les plus belles coiffes navajo.

L'homme était intarissable. Il y avait quelque chose de pathétique à le voir ainsi s'illusionner jusqu'à s'abuser lui-même. Après des années d'auto-persuasion, il était allé si loin dans son délire qu'il vivait dans le déni de son propre mensonge. L'arrivée de la jeune femme les libéra l'un et l'autre de la Route 66.

— Salut Aka.

— Hello Legna. Ma parole, tu ressembles de plus en plus à ta mère.

— Merci, je prends ça comme un compliment.

— Tu peux. Elle n'a pas été Miss Chatham pour rien. Jusqu'à ce que cette saloperie de crabe l'emporte, elle était restée la plus belle femme de tout l'archipel.

À lire la vénération qui brillait dans ses yeux, on devinait aisément que la Miss Chatham en question n'avait pas laissé insensible Akahata par le passé. Peut-être même avait-elle fait partie de celles qui avaient cheminé un temps à ses côtés sur sa Route 66.

— Tu viens kidnapper mon pensionnaire? Vas-y, il est à toi. Et dis à ton père qu'il y a toujours une Bud qui l'attend si l'envie lui prend de passer par là.

— Je n'y manquerai pas. En route Monsieur L'Écrivain, la maison de Caleb Howlett nous attend.

À bord du pick-up de la jeune femme, Xavier découvrit un paysage que le brouillard de la veille lui avait en grande partie masqué.

— On y voit beaucoup mieux qu'hier.

— C'est loin d'être le cas tous les jours. Les premiers habitants de l'île l'ont baptisée du nom de *Rekohu*, ce qui signifie « ciel brumeux », expliqua Legna.

— Les types avaient un sacré sens de l'observation, ironisa le gnome couché sur les genoux de Xavier.

— Vous ne la quittez jamais?

— Qui ça?

— Votre statue, là, vous la gardez toujours avec vous?

— J'en ai besoin pour mon livre. Elle fait partie intégrante de l'histoire et ça m'aide pour l'inspiration de l'avoir sous les yeux.

— C'est étrange cette façon de tirer la langue, constata la jeune femme en effleurant du bout de son index la protubérance d'argile. On dirait un tiki.

— Un quoi ?

— Un tiki, ces sculptures en bois qu'on trouve dans la culture maorie. Ils ont eux aussi la fâcheuse habitude de grimacer en tirant la langue.

T'entends ça copain ? En plus d'avoir une tronche d'art pré-colombien, tu as une tête d'art polynésien. Tu vas finir au musée du quai Branly si ça continue.

— Elle m'a touché la langue !

Et alors, estime-toi heureux qu'une belle femme comme elle daigne encore te caresser la terre cuite.

— J'ai eu mon père au téléphone tout à l'heure. Il était plutôt réticent à l'idée de louer mais après lui avoir expliqué qu'il valait mieux une maison occupée par un locataire qu'une bicoque en vente perpétuellement vide, il a accepté. Seule condition : que le loyer soit réglé chaque fin de semaine et en espèces. Il ne veut pas s'encombrer avec de la paperasse.

— Pas de problème.

Le trajet ne prit que quelques minutes. Elle gara le véhicule dans les hautes herbes. Les rayons du soleil caressaient la façade ouest de la baraque et embrasaient la rouille de sa toiture de tôles. Se hissant sur la pointe des pieds, Legna décrocha la clé suspendue à un clou au-dessus de la porte.

— Il n'y a rien à voler ici, à part des souvenirs, le rassura-t-elle devant son air surpris.

À l'intérieur, les planches chauffées par le soleil diffusaient une agréable odeur de bois. Loin du taudis humide et sale envahi par la vermine imaginé par Numéro 8, il découvrit un charmant petit intérieur. Sain et chaleureux furent les mots qui lui vinrent à l'esprit lorsqu'il franchit le seuil. La jeune femme s'empressa d'ouvrir les rideaux afin de faire entrer la lumière du dehors. Les cinquante mètres carrés de la maisonnette se partageaient entre un coin cuisine, un salon qui faisait également office de bureau et une minuscule salle de bain. Accolé à la cloison du salon, un poêle à bois rudimentaire exposait sa panse noircie. Le lit étroit avait trouvé sa place contre un mur couvert d'étagères. Le sommier grinça lorsqu'il s'assit sur le matelas pour en tester la fermeté.

— La literie a été changée peu de temps avant que grand-père décède. Je pourrai vous fournir des draps si vous voulez, lui proposa Legna.

— On m'avait dit qu'il n'y avait pas d'électricité, fit remarquer Xavier en contemplant l'antique abat-jour suspendu au centre de la pièce principale.

— Il y a un petit groupe électrogène que je vous laisserai à disposition. Ça suffit amplement pour alimenter les lampes, les quelques prises et pour faire fonctionner la pompe qui amène l'eau de pluie depuis la citerne jusqu'au robinet. Cette eau est en principe non potable mais vous pouvez la boire sans risque, mon grand-père en a toujours consommé et ce n'est pas ça qui l'a tué.

— Sans vouloir être indiscret, de quoi est mort votre grand-père ?

— De découragement je crois. Ça a fini par le tuer, toute cette histoire. Cancer généralisé nous ont dit les médecins. On peut appeler ça comme on veut, moi je reste persuadée que ce sont toutes ces boues qu'il a remuées qui ont fini par le tuer. Il se croyait aussi dur que ses Moaï mais à l'arrivée, il s'est enlisé dans le passé des îles Chatham en réveillant des fantômes qui lui ont échappé. Pour certains, Caleb Howlett était un héros, pour d'autres un agitateur dangereux.

— Mais qu'a-t-il trouvé exactement ?

— Rien qui puisse vous intéresser, je vous assure, mais si c'est le cas, tout est là, il n'y a qu'à lire. Bon courage, ajouta la jeune femme en désignant de la main les rayonnages croulant sous le poids de plusieurs dizaines de classeurs et d'innombrables carnets.

Sujet clos. Xavier n'insista pas. Posée au centre du tapis qui recouvrait le parquet trônait une banquette au cuir râpé à force d'usure. Sur la table basse, on pouvait voir l'empreinte récente d'un verre. Hormis cela, il n'y avait aucune trace de poussière ni de salissures nulle part. Les carreaux des fenêtres présentaient une propreté étonnante pour une habitation à l'abandon.

— Je viens au moins une fois par semaine, lui avoua la jeune femme. J'en profite pour faire un peu de ménage. J'aime me réfugier ici pour lire ou simplement rêvasser. Un jour que je lui rendais visite, je devais avoir dans les six ans, mon grand-père m'a demandé de tendre l'oreille. Tu entends le silence ? m'a-t-il dit. Le bruit des vagues n'arrive jamais jusqu'ici, même quand le vent souffle de l'ouest. Et si tu fermes bien fort les yeux et que tu te bouches les oreilles, alors tu pourras l'entendre battre, me confia-t-il ce jour-là. Entendre battre quoi ? je lui ai demandé intriguée du haut de mes six ans. Le cœur du monde, m'a-t-il répondu en accompagnant sa révélation d'un clin d'œil. J'y ai cru longtemps. Je passais de longues minutes les yeux fermés, les mains collées sur les oreilles à écouter fascinée battre dans mes tympans un cœur qui n'était autre que le mien, certaine qu'il s'agissait là des battements dont m'avait parlé mon grand-père.

Xavier sourit, lui qu'un nain de jardin était parvenu à persuader d'avoir perçu le bruit des vagues de Chatham Island depuis sa cave d'Alzon.

— Pour le montant du loyer, mon père m'a dit de me débrouiller et de l'estimer moi-même. Que diriez-vous de quatre-vingts dollars néo-zélandais par semaine ?

Même pas le prix d'une seule nuit au motel. Il accepta sur-le-champ.

— Ça fait quand même l'équivalent de deux cent vingt euros par mois juste pour avoir le droit d'habiter un cabanon de jardin, fit remarquer Numéro 8 qui était devenu en quelques jours un as de la conversion monétaire.

Tu n'es qu'un pingre.

Sa future propriétaire lui proposa une réduction de loyer s'il se sentait le courage de défricher le terrain, à condition que l'écriture de son livre lui en laisse le temps.

— Pour les outils, je vous les fournirai bien sûr.

La proposition l'enthousiasma. Un peu d'exercice lui ferait le plus grand bien.

— Je vais vous présenter à celle qui sera votre unique voisine, lui annonça Legna tandis qu'elle accrochait la clé à son clou. Elle habite la dernière ferme sur Maipito Road, à deux cents mètres d'ici. Vous verrez, Eva est une vieille femme adorable, bien qu'elle puisse se montrer parfois un peu trop envahissante. Elle s'est toujours bien occupée de mon grand-père, surtout les derniers temps, même si de son côté, lui n'avait jamais porté dans son cœur Josh Adams, le défunt mari d'Eva qu'il traitait de vieux colon, un mot qui dans la bouche de Caleb Howlett était l'injure suprême.

Le rire gras du nabot retentit à ses oreilles.

— Tu quittes une Hélène Aspic pour tomber sur une Eva Adams, copain. Elle porterait une blouse bleue que je ne serais guère surpris.

La veuve de Josh Adams ne portait pas de blouse bleue mais un tablier vert.

Perdu, mon pote!

C'était une femme grande et sèche, tout en os, à des années-lumière du physique de son homologue cévenole.

— Sans vouloir mettre en doute tes capacités de tireur d'élite, celle-là risque d'être un peu plus difficile à dégommer que la mère Aspic, plaisanta Numéro 8. Elle est épaisse comme un fil de fer.

Xavier se caressa la barbe, manière de contenir le rire qui montait en lui.

— Demande-lui si elle fait aussi dans la courgette et le potiron, maman Adams.

Arrête.

Legna fit les présentations. La vieille femme leur proposa d'entrer pour boire une tasse de thé.

— Tout pareil que l'autre : une siroteuse de tisane.

Plein de gens boivent du thé, gros malin.

— Eh ! Eva Adams, Adam et Eve !

Quoi, Adam et Eve ?

— Aspic, la vipère. Adam et Eve, le serpent !

C'est un peu tiré par les cheveux, copain. Ça ne prend pas avec moi sur ce coup-là.

Legna déclina poliment l'invitation. L'après-midi était bien avancé et elle avait encore à faire au magasin.

— Je n'ai pas souhaité vous faire subir l'épreuve du thé avec Eva le premier jour, plaisanta-t-elle une fois dans la voiture. Comme je vous l'ai dit, elle est très gentille mais vite envahissante.

La jeune femme souhaitait lui montrer le coucher du soleil qui basculait très tôt sur l'horizon en cette saison.

— Mon grand-père disait toujours qu'assister à son premier coucher de soleil sur une île, c'est déjà laisser un peu de soi-même sur cette île.

Ils mirent moins de dix minutes pour rejoindre la route qui bordait la baie. Des minutes pendant lesquelles Xavier tenta de se persuader qu'il avait rêvé ce grain de beauté aperçu juste au-dessus de l'arcade droite d'Eva Adams, à l'exact opposé du trou qu'avait creusé la balle de 22 long rifle en pénétrant dans l'os frontal d'Hélène Aspic. Un nævus noir d'une rondeur parfaite. Et tandis qu'il regardait l'astre se dissoudre dans les eaux froides du Pacifique sud, la phrase prononcée deux jours plus tôt au Waitangi Store par Numéro 8 retentit à nouveau dans son crâne comme une évidence.

— À chaque recto son verso, copain.

28

La date d'emménagement dans son nouveau domicile fut fixée au jeudi suivant, le temps pour Legna de mettre un peu d'ordre dans la maison. Xavier mit à profit ces quelques jours pour partir à la découverte de l'île. S'abrutir d'exercices, une manière comme une autre de dompter l'impatience qui fourmillait en lui. Il arpenta Chatham Island en tous sens, alterna randonnées dans l'intérieur des terres et balades côtières. Les autochtones s'habituèrent bientôt à cette drôle de silhouette qui, sac au dos et Numéro 8 sur le ventre, hantait leur paysage de ses déambulations. Il traversa les étendues herbeuses au milieu des troupeaux, parcourut le plateau sous le vent, gravit les dunes, foula le sable des plages en respirant de pleines bouffées d'océan sous les récriminations de son petit compagnon qui lui hurlait dans les oreilles son aversion pour les odeurs de varech. Dès que l'occasion se présentait, il trempait ses pieds dans le Pacifique sud, goûtant à la caresse des eaux froides sur ses mollets endoloris par l'effort. Il revenait de ces excursions enivré de nature et de grand air, se glissait sous la douche brûlante et retrouvait la salle du restaurant à l'heure du souper. Avant de s'attabler, il s'accoudait au bar et commandait une Bud qu'il savourait en regardant les pêcheurs locaux conclure leur journée autour d'une partie de fléchettes ou refaire le monde entre deux tournées de bières. Chaque soir, Xavier prenait un soin tout particulier à se choisir une nouvelle table sous le regard curieux de Bobby qui se précipitait alors pour lui servir une anecdote sur l'État élu du jour.

— Ah, le Texas, la petite ville d'Adrian et son Midpoint Cafe ! C'est là que se situe le point de bascule de la Route, à égale distance de Chicago et de Los Angeles. Pile au centre, mille cent trente-neuf miles d'un côté comme de l'autre, de quoi donner le vertige et parfumer votre petit-déjeuner d'une saveur toute particulière. Nulle part ailleurs le café ne m'a semblé aussi bon que là-bas.

Rosie surgissait à ce moment-là, tornade jaune et rouge qui faisait taire son géant de fils le temps de noter la commande, un soir *fish*, le lendemain *beef*, avant de s'en retourner en cuisine. Xavier se couchait repu, l'estomac farci des plats de la mère et la tête pleine de la logorrhée du fils, se coulait dans l'attente comme on se plonge dans un bon bain chaud et égrenait le compte à rebours des nuits qui le séparaient de son installation dans la maison du dernier des Moaï, impatient et rêveur tel un gamin à l'approche de Noël.

— Sauf que tu n'as aucune idée de ce qui t'attend au pied du sapin, copain, le harcelait Numéro 8. Ne te mens pas, tu retardes cet instant uniquement parce que tu as la trouille. Peur de finir dans une impasse, peur que cette baraque ne t'apporte pour toute réponse à ta question que d'autres questions. D'ailleurs c'est quoi cette question au juste ? Qui suis-je ? Où vais-je ? D'où viens-je ? Tu peux nous en dire un peu plus là-dessus ?

Xavier n'en savait rien. Seule certitude, la maison l'avait appelé à elle, lui avait montré la route à l'aide de la fissure et des signes et il était venu. Elle abritait entre ses murs de planches une chose qui allait changer sa vie, il en était persuadé. Il laissa le gnome à ses questions et se referma sur ses convictions avant que le nain les fasse voler en éclats par ses considérations défaitistes.

Le jour J, Legna passa le prendre comme convenu au motel sur les coups de 19 heures. À la nuit tombée, les nuages étaient revenus et avec eux la pluie. À la vue du pick-up, le cœur de Xavier s'emballa tandis que sa main se refermait sur le détecteur GPS glissé dans la poche de son ciré.

— Hâte de voir ce que le vieux barbu t'a déposé dans les pantoufles, hein copain ?

Il abandonna Bobby en compagnie de Steinbeck, chargea la valise à côté du sac de provisions, des jerricans d'essence et de la débroussailleuse qui encombraient l'espace et prit place aux côtés de la jeune femme. Dix minutes plus tard, la maison apparut dans le faisceau des phares. Legna commença par exhumer de sous le perron le groupe électrogène. Elle ouvrit le robinet d'arrivée de carburant et tira sur la poignée de mise en route. Le moteur toussota puis ronronna au milieu des vapeurs d'essence.

— Avec les trois nourrices que je vous ai apportées, vous aurez de quoi tenir un bon moment. Suffit juste de penser à l'arrêter avant d'aller vous coucher. Pour la nuit, vous avez une lampe torche à la tête du lit et une lampe tempête sous l'évier de la cuisine.

Elle actionna l'interrupteur à droite de la porte. L'ampoule se mit à briller comme un petit soleil.

Fidèle à ses promesses, la jeune femme avait paré le lit de draps frais. Des rideaux flambant neuf ornaient les fenêtres. Sur la table du salon, un cendrier abritait les restes de plusieurs bâtonnets d'encens. Des senteurs fruitées embaumaient l'atmosphère. Ils déchargèrent la voiture et rangèrent les provisions, travaillant de concert. Comme Angie et lui le faisaient à chaque début de week-end lorsqu'ils arrivaient à la résidence, pensa Xavier troublé. Il régla plusieurs semaines d'avance malgré les protestations de Legna.

— Votre chez-vous, lui glissa-t-elle en lui remettant les clés.

Jamais par le passé il ne s'était senti chez lui, ni dans l'appartement de Clermont, ni même à Alzon. Ce « votre chez-vous » dans la bouche de la jeune femme sonnait on ne peut plus juste et venait conforter l'idée qu'il était à sa place.

— Et maintenant que je suis chez moi, puis-je vous proposer une tasse de thé ?

— Volontiers.

— À moins que vous ne préfériez une bière ou un jus de fruits.

— Du thé, ce sera parfait. Cela fait une éternité que je n'ai pas bu de thé à l'eau de pluie.

Le rire espiègle de Legna couvrit un temps le bruit de l'averse qui crépitait sur le toit de tôle. Xavier sortit une casserole de sous l'évier, la remplit d'eau et la posa sur la gazinière. Il tourna la vanne d'arrivée et craqua une allumette. Le brûleur s'enflamma dans un souffle. Il déposa tasses et soucoupes sur un plateau, tira le tiroir pour prendre les petites cuillères, attrapa la boîte de sucre dans le placard mural, ouvrit un paquet de gâteaux. À aucun moment il n'eut besoin de chercher ses marques. Il trouvait les choses machinalement comme s'il vivait ici depuis des lustres. Il sourit. Chez lui. Ils burent en silence, savourant l'instant, conscients l'un et l'autre que les mots n'avaient pas leur place dans ce silence qui se suffisait à lui-même.

— Je ne connais même pas votre nom, lui confia la jeune femme au moment de partir.

Xavier blêmit. Son nom lui échappait. Pendant de longues secondes, les mains posées sur ses joues barbues, les yeux perdus dans le vague, il chercha. Legna mit cette hésitation sur le compte d'une réticence à lui fournir sa véritable identité.

— Pas de souci, je peux me contenter du prénom, ça me va très bien comme ça, ajouta-t-elle, à la fois blessée et consciente de la gêne de son locataire.

Insensible à la pluie, il resta un long moment immobile sur le perron à regarder les feux arrière du pick-up décroître dans la nuit, attendant que la panique qui paralysait son esprit reflue au loin. Trempé et grelottant, il finit par regagner l'intérieur de la maison. L'envie de s'emparer sur-le-champ du détecteur de localisation GPS lui picotait le bout des doigts mais il prit encore le temps de débarrasser la table basse et de laver les tasses. Ce moment pour lequel il avait traversé la Terre entière se devait d'être solennel. Ne pas tout gâcher par un empressement inutile. Il ferma les rideaux. Après une profonde inspiration, il mit en marche l'appareil posé dans la paume de sa main gauche sous le regard goguenard de Numéro 8.

— Roulement de tambour : le grand Xavier-qui-ne-sait-plus-son-nom va enfin découvrir la réponse au grand mystère de sa vie !

C'est bon, tu me fatigues.

L'infinie lassitude avec laquelle il avait prononcé ces mots découragea le gnome de poursuivre sur le terrain de la moquerie. Moins de deux minutes suffirent à l'appareil pour accrocher le signal satellite. L'œil rivé au cadran, Xavier débuta ses investigations par le coin cuisine. Le défilement des chiffres s'arrêtait lorsqu'il s'immobilisait puis reprenait sitôt qu'il se remettait en mouvement.

— T'es froid, commenta le nabot.

Il arpenta le salon avec une lenteur de tortue. Ses pieds glissaient sur le parquet, sans heurt.

— Tu chauffes, copain. En même temps, c'est normal, tu es près du poêle.

Encore une comme ça et je t'offre en cadeau toi et ta tronche de terre cuite à Eva Adams pour décorer son buffet de cuisine!

La réplique stoppa net le rire gras du barbu. Ses pas le menèrent à la salle de bain. Il ne chauffait plus, il brûlait. Il s'agenouilla et posa l'appareil à même le sol afin de stabiliser l'affichage. Il tâtonna longtemps, déplaçant le détecteur à coups de centimètre vers l'avant ou vers l'arrière, puis de la gauche vers la droite jusqu'à ce que degrés, minutes et secondes coïncident avec les chiffres recherchés:

S 43°57'52.7649"
W 176°32'57.3393"

Fébrile, il écrasa de l'index le bouton convertissant les données récoltées en degrés décimaux afin de s'assurer de l'exactitude du résultat:

Latitude: -43.9646569
Longitude: -176.549260916666667

Des chiffres qu'il connaissait par cœur. Il y était. Le point de sortie de l'aiguille à tricoter sur le globe de carton. À l'aide d'un stylo, il traça une croix sur la lame du parquet à l'emplacement du dernier relevé. Au moment de se redresser, sa tête vint heurter violemment le lavabo. Il envoya une bordée de jurons tout en se frottant vigoureusement le crâne. Le visage grimaçant qui le contemplait par-delà le miroir au tain piqué de rouille lui fit peur. De la même manière qu'il avait peiné à retrouver son nom, il mit un certain temps à se reconnaître dans ce type au regard trouble. La fêlure ancienne qui courait de bas en haut de la glace coupait son visage en deux. Il fut saisi d'un léger vertige. La voix moqueuse de Numéro 8 lui parvint du salon.

— Traverser la planète pour finir au milieu d'une salle de bain minuscule à s'admirer le portrait dans un miroir fêlé, tu crois vraiment que ça en valait la peine, Monsieur Xavier Barthoux ? Barthoux, B-A-R-T-H-O-U-X, tu sais encore comment ça s'écrit ?

Le sommet de son crâne n'était plus que fourmillements.

— C'est la fissure qui appelle son papa de l'autre côté du globe. Elle doit savoir que tu es arrivé à bon port, copain.

Arrête de raconter n'importe quoi, c'est le choc avec le lavabo, rien d'autre.

La tête lui tournait. Il regarda autour de lui, leva les yeux vers le plafond, ausculta le sol méticuleusement. Rien. Une salle de bain des plus ordinaires. Comment avait-il pu croire que la maison abritait en son sein la solution à ses problèmes ? Qu'avait-il espéré trouver ici ?

— La route s'arrête là, copain. Circulez, y a rien à voir.

Des remarques de Numéro 8 au ronron du groupe électrogène, du staccato de la pluie sur les tôles en passant par les odeurs entêtantes de l'encens, tout l'insupportait soudain. Il sortit pour éteindre le générateur. Le moteur hoqueta deux fois avant de caler. Xavier se traîna dans l'obscurité jusqu'à son lit. Une immense fatigue s'était emparée de tout son être. La première rasade de whisky incendia son œsophage. Il allait lui en falloir bien d'autres pour noyer son amertume. Juché sur la table basse du salon à quelques mètres de là, Numéro 8 attendit longtemps un « bonne nuit » qui jamais ne vint.

29

Cela commença par une faible houle, un balancement léger du sommier. S'ensuivirent des haut-le-cœur, haut-le-cœur qu'il mit sur le compte de l'alcool. Le lit tanguait à présent au milieu d'une mer démontée. L'estomac au bord des lèvres, Xavier se leva et tituba en direction de la sortie sans prendre le temps de se munir de la torche électrique, tâtonnant dans l'obscurité à la recherche de la clenche. Au-dehors, la couverture nuageuse emprisonnait une nuit épaisse. Ses yeux le brûlaient et un mal de crâne lancinant labourait ses tempes. Cramponné des deux mains au garde-fou branlant du perron, il vomit dans l'herbe. Depuis la table basse où il l'avait laissé, Numéro 8 s'époumona.

— L'alcool n'a rien à voir là-dedans et je crois que tu le sais très bien, Monsieur Xavier Barthoux. Ces vomissements ne sont pas anodins, c'est ton corps qui t'envoie un signe. Les signes, tu sais encore reconnaître les signes, copain ? Ton corps te dit de fuir, de quitter cette maudite baraque pendant qu'il est encore temps.

Xavier resta sourd aux divagations du nabot, trop occupé qu'il était à essayer de gérer les contractions de son estomac. Un éclair embrasa le ciel accompagné d'un roulement de tonnerre. Au loin monta le hurlement d'un chien.

— Il y avait dans ce miroir quelque chose que tu ne voulais pas voir, reprit le gnome. Une chose que ton cerveau n'a pas enregistrée mais qui s'est infiltrée en toi et qui maintenant diffuse son poison.

Les dernières paroles de Numéro 8 se noyèrent dans les grondements de l'orage. Xavier bascula la tête en arrière, laissa la pluie ruisseler sur son visage puis regagna sa couche d'un pas chancelant. À plusieurs reprises au cours de la nuit, il se rua au-dehors plié en deux par les spasmes pour vomir un nouveau flot de bile avant de retourner s'affaler sur le matelas. L'esprit embrumé, il ne prit pas conscience qu'il heurtait la table basse lors de son dernier passage. À peine ressentit-il un léger choc au niveau de son genoux gauche lorsque celui-ci percuta le plateau de bois brut. Le bruit qui s'en suivit fut celui d'un pot de fleurs se brisant sur lui-même, ni plus ni moins. Un bruit étouffé par l'épaisseur du tapis, doux à l'oreille et si faible qu'il ne franchit pas la barrière que la douleur avait érigée sous son crâne. Le front brûlant, il s'échoua sur le radeau qu'était devenu son lit, grelottant de tous ses membres. Ses dents claquaient à se briser. La fièvre enserrait son corps en une étreinte glaciale. Au milieu de ses propres gémissements, il perçut les premiers grattements au-dessus de sa tête. La fouine était revenue. Une fouine énorme qui labourait le plafond de ses griffes acérées. Un premier nain surgit dans son délire, rapidement rejoint par un deuxième. Toute une armée de Numéro 8 envahit bientôt la pièce. Des statuettes de terre cuite qui par dizaine défilaient dans la nuit, frappant de la semelle de leurs bottes le parquet du salon sous les ordres d'une Hélène Aspic au visage ravagé avec, collée à elle dans un porte-bébé, une courgette d'une taille monstrueuse. L'arrivée du jour repoussa pour un temps ces fantômes envahissants. La gorge en feu, Xavier se traîna d'une démarche de zombie jusqu'à l'évier pour étancher sa soif. Il tourna le robinet, sans résultat. La pompe immergée de la citerne ne pouvait fonctionner sans courant électrique. Mettre en route le générateur lui demanda un effort surhumain. Il but coup sur coup plusieurs verres d'eau. Le liquide glissa sur son palais irrité sans parvenir à noyer l'incendie. Chaque déglutition déchirait un peu plus son gosier à vif. À bout de force, il traversa le salon pour regagner le lit. Alors il vit. D'abord la langue échouée au pied de la table, puis les débris de corps éparpillés sur le tapis. Tout ce qui restait de Numéro 8 gisait là devant ses yeux horrifiés. Xavier s'agenouilla et tenta de rassembler de ses mains tremblantes les pièces du puzzle, de redonner un semblant de forme à ces morceaux épars qui ne ressemblaient plus à rien.

Je te recollerai, copain, je te recollerai. Tu verras, tu seras comme avant.

Après plusieurs tentatives infructueuses, il frappa le tapis du plat de la main, insensible aux entailles qu'infligeaient à sa paume les éclats tranchants.

Parle-moi putain, tu peux pas me faire ça, t'as pas le droit, pas maintenant!

Incapable de reconstruire la statuette, il resta un moment prostré à contempler ce qui restait de son ami. Il saisit délicatement la langue minuscule entre ses doigts. Une petite chose morte qui ne pesait pas plus lourd qu'une dent. Il pensa à cette relique de sainte entraperçue un jour dans une chapelle qu'avait souhaité visiter Angèle, une malheureuse esquille d'os enchâssée dans son ostensoir doré et pour laquelle des hommes avaient érigé à la sueur de leur front tout un édifice religieux. Désorienté, il se recoucha avec dans le creux de la main le fragment d'argile. La fièvre joua avec lui tout le jour et la nuit suivante. Telle une marée, elle revenait, embrasait son organisme, contractait ses muscles, puis refluait, l'abandonnant groggy au milieu des draps trempés de sueur avant de l'envahir à nouveau avec, collées dans son sillage, la fouine, l'armée de nains de jardin et Hélène Aspic allant et venant au gré du courant, son énorme courgette plaquée sur son ventre. Entre deux assauts, il dépensait le peu d'énergie restante pour aller étancher sa soif et déverser un filet d'urine brûlante dans les toilettes. À plusieurs reprises, on frappa à sa porte. Des coups de plus en plus insistants qui le firent se recroqueviller autour de sa peur.

Au matin du deuxième jour, la caresse d'un linge humide sur son front le tira du sommeil. Hagard, il découvrit Legna penchée au-dessus de lui. Ses cheveux noir de jais enserraient son visage grave. Il regarda la jeune femme comme si c'était la première fois, se demandant quelle était cette fée assise à son chevet.

— Vous êtes brûlant, buvez ça.

Il avala le breuvage sans poser de questions.

— Aspirine. C'est Eva qui m'a prévenue. Elle est passée à plusieurs reprises vous apporter de la soupe de légumes maison mais vous n'avez pas ouvert. Par le rideau entrebâillé, elle vous a aperçu allongé et pâle comme la mort. Elle a pris peur et vu votre tête, on peut la comprendre. Vous avez mal quelque part ?

— Gorge.

L'énonciation de ce simple mot suffit à embraser le fond de son palais. Impression d'avoir avalé des lames de rasoir.

— Vous avez dû prendre froid à force de vous balader par tous les temps par monts et par vaux. Je vais appeler le médecin du centre de santé pour qu'il passe vous examiner, c'est un ami.

Ce disant, elle tira les rideaux et ouvrit les fenêtres afin d'aérer la pièce. Si la découverte des restes de Numéro 8 sur le tapis parut affecter la jeune femme, elle ne posa pas de question, se contentant de ramasser avec minutie les morceaux jusqu'au dernier qu'elle rassembla dans un carton.

— Je ne vous demande pas si vous avez faim mais je vais vous réchauffer la soupe d'Eva. Dans votre état, ça ne pourra que vous faire du bien.

La présence de la jeune femme le réconfortait. Il y avait quelque chose d'agréable à s'abandonner ainsi à elle, à la laisser prendre les choses en main. Elle le fit s'adosser à la cloison, déposa devant lui le plateau contenant le bol fumant et lui enfourna derechef une première cuillerée dans la bouche. La soupe d'Eva

Adams était la meilleure qu'il eut jamais avalée. Un nectar velouté dont chaque nouvelle lampée apaisait les inflammations de sa gorge. Le docteur arriva dans l'heure. Plutôt petit et rondouillard, le sentiment de bonhomie qui se dégageait de son physique s'effaça lorsqu'il prit la parole. Sans même un bonjour, il questionna à brûle-pourpoint.

— Qu'est-ce qu'il a ?

— Mal à la gorge, de la fièvre. Et il a vomi.

— Pas pu être là plus tôt. Un veau qui ne se décidait pas à venir au monde du côté de chez les Hoocker, expliqua le médecin tandis qu'il sortait le stéthoscope de sa mallette.

Xavier jeta un regard paniqué à la jeune femme qui le rassura d'un signe de tête tout en posant sa main sur son avant-bras.

— La dernière fois que je suis venu ici, c'était pour ton grand-père et il paraissait en meilleure forme que celui-là.

Il s'assit sur le bord du matelas, inspecta gorge, yeux et oreilles, écouta attentivement le cœur, prit la tension. Des gestes mille fois répétés mais qu'il fit avec application. Le diagnostic ne tarda pas à tomber, suivi de la prescription.

— Angine. Fais-lui prendre ça toutes les quatre heures, conclut l'homme en tendant à la jeune femme une boîte de paracétamol. Je lui prescris aussi un anti-inflammatoire. Si ça persiste, il faudra l'envoyer sur Wellington pour faire des examens plus poussés mais ça devrait passer tout seul, c'est viral. Dans moins de deux jours, il sera sur pattes. Et range ton billet. Si je devais rembourser tout ce que le vieux Caleb m'a apporté, c'est moi qui te devrais quelque chose.

Le médecin s'en retourna comme il était venu. Pas une seule fois il n'avait adressé la parole à Xavier.

— Un peu bourru mais c'est le plus gentil des hommes. Il n'hésite pas à remplacer le vétérinaire lorsque celui-ci s'absente de l'île.

— Et je suppose qu'en cas d'absence du médecin, c'est le vétérinaire qui assure les urgences médicales.

Legna sourit.

— Vous ne croyez pas si bien dire. Le véto d'ici a dû accoucher au moins autant de bébés que le toubib a mis de veaux au monde.

Après avoir refait le plein du générateur, la jeune femme promit de rapporter en fin d'après-midi les anti-inflammatoires prescrits par le toubib. Profitant d'une trêve accordée par la fièvre, Xavier plongea dans un sommeil sans rêves. Toujours nichée dans le creux de sa main, la langue d'argile de Numéro 8 palpitait tel un cœur minuscule.

30

Le médecin avait vu juste. L'état de Xavier s'améliora aussi vite qu'il s'était détérioré. Les irritations de la gorge s'apaisèrent en moins de deux jours. La fièvre disparut et avec elle, son lot de migraines et d'hallucinations. Seuls les grattements au-dessus de sa tête continuèrent de meubler le silence de la nuit. Il en fit part à Legna tandis qu'elle ramenait un jeu de draps propres. « Le kiore, ça ne peut être que le kiore, affirma la jeune femme. Depuis que grand-père est mort, il a pris la fâcheuse habitude de disposer de la maison comme bon lui semble. »

Le kiore. Xavier frissonna à l'énoncé du mot. Une dangerosité latente se dégageait des trois syllabes.

— Un rat du Pacifique si vous préférez, précisa-t-elle aussitôt devant son regard interrogateur et quelque peu inquiet. Ça peut faire un raffut de tous les diables mais c'est totalement inoffensif et ça mange surtout des œufs d'oiseaux. Il y en a toujours pour venir nicher sous le toit et la bestiole le sait.

À chaque recto son verso, encore et toujours. La fouine à Alzon, le kiore à Waitangi. Au moment de partir, Legna lui prit la tête entre les mains et posa ses lèvres sur son front comme le font les mères à leur enfant pour juger de leur température. Un effleurement d'une douceur exquise qui le chavira et qui hanta sa peau encore quelques instants après qu'elle se fut retirée.

— La fièvre est tombée. Je repasserai demain pour m'assurer que tout va bien si ça ne vous gêne pas.

Il opina. Fièvre ou pas fièvre, elle pouvait bien continuer de venir déposer un baiser sur son front tous les jours que Dieu faisait. Xavier se traîna jusqu'à la douche après son départ. Besoin impérieux de se débarrasser de l'odeur de sueur qu'avait exsudée son corps pendant son combat contre la fièvre. Malgré la faible température de l'eau, il resta sous le jet du pommeau et se frictionna énergiquement pour activer la circulation du sang, un sang à trente-sept degrés et non plus ce fleuve de lave en fusion que charriaient encore ses veines la veille au soir. Il s'essuya et contempla son reflet. La glace de la salle de bain lui renvoya l'image d'un Robinson Crusoé hagard. La barbe lui mangeait les joues et des cernes profonds creusaient ses orbites, ombrant ses yeux. La fêlure qui zébrait le miroir appela son regard. Il approcha son visage de la surface réfléchissante jusqu'à la toucher. Tu as vu quelque chose dans ce miroir, quelque chose que tu ne voulais pas voir, avait affirmé Numéro 8 deux jours plus tôt. Les toutes dernières paroles du nabot. Combien de temps resta-t-il ainsi immobile à parcourir des yeux cette cassure qui coupait son image en deux, à chercher dans son reflet une réponse que le gnome avait emportée dans sa chute ? Une minute, cinq minutes, une heure, il n'aurait su le dire. Il dut se faire violence pour s'arracher à l'attrait hypnotique de la minuscule crevasse.

De retour au salon, il s'empara du carton contenant les restes de Numéro 8 et s'assit sur le vieux canapé. Les débris s'entrechoquèrent en émettant un horrible bruit de vaisselle cassée. Il tritura longuement les morceaux d'argile comme pour se persuader de leur effroyable réalité, saisissant entre ses doigts tantôt une section de jambe, tantôt un fragment de main ou un éclat de buste. Xavier prit soudain conscience de l'absence. Fini la brûlure des sangles du porte-bébé sur ses épaules, la chaleur du petit corps contre son torse, les remarques acerbes coulant dans ses oreilles, la raucité si particulière de cette voix, sa présence rassurante à ses côtés au creux de la nuit. Fini tout cela. Ne subsistait plus que cette dépouille fragmentée et à jamais muette, une dépouille qu'il contemplait comme on regarde un abîme insondable.

Ça le saisit comme une fringale. Une envie soudaine d'exercice physique, un besoin viscéral de s'abrutir par le geste avant que la pensée obscurcisse tout. Nécessité de bouger, d'occuper coûte que coûte son corps pour sortir de cette hébétude avant qu'elle n'engourdisse totalement son esprit. Les outils entreposés près de la porte d'entrée lui tendaient leur manche. Il s'habilla à la hâte, attrapa la débroussailleuse et sortit dans la clarté éblouissante de ce milieu d'après-midi. Il s'assomma à la tâche, se saoulant de vapeurs d'essence, s'abrutissant du raffut pétaradant de la machine. Sa chemise trempée de sueur collée à la peau, il fendait la mer de verdure les dents serrées dans l'effort au milieu d'une nuée d'insectes vrombissants. Tranchées à leur base, les grandes fougères s'affalaient les unes sur les autres pour venir tapisser le sol de leurs tiges feuillues. Attirée par le bruit, Eva Adams fit son apparition au bout du chemin. Il la salua d'un grand geste du bras. La voisine n'en attendait pas moins et revint bientôt avec une cruche entre les mains. Sa citronnade glacée tombait à point nommé et le désaltéra délicieusement. Il reprit le travail après avoir avalé un deuxième verre et remercié la vieille femme qui s'en retourna ravie.

Une heure plus tard, alors qu'il se trouvait à l'endroit le plus éloigné de la maison, là où le sol légèrement surélevé dessinait un petit promontoire, il découvrit l'objet, petite forme brune qu'il devina plus qu'il ne vit à travers le rideau des hautes herbes. Il arrêta la débroussailleuse et avec précaution entreprit de dégager sa trouvaille à mains nues. Taillée dans un bois rouge sombre, la sculpture mesurait une soixantaine de centimètres de hauteur. Soixante-deux exactement, pensa Xavier en essuyant de la main la sueur qui coulait dans ses yeux. Pas soixante et un ni soixante-trois, non, soixante-deux, il ne pouvait pas en être autrement. L'artiste avait sculpté un être dont les globes oculaires semblaient jaillir de leur orbite. Une grimace hideuse déformait les traits de la créature qui dardait une langue moqueuse entre ses lèvres démesurées. La tête volumineuse et disproportionnée représentait à elle seule près de la moitié de l'ensemble de la statue. Xavier sourit. Cinquante, cinquante, une règle d'or chez Frachon concernant les proportions de ses nains de jardin, une règle apparemment valable des deux côtés de la planète. Les propos de Legna lui revinrent en mémoire. Il était en présence d'un tiki, l'une de ces sculptures dont lui avait parlé la jeune femme. Empoignant à deux mains la statuette maorie, il l'arracha du sol. L'extraction produisit le même bruit de succion que celui émis par la terre glaiseuse du jardinet d'Alzon lorsqu'il avait déraciné Numéro 8. Il nettoya sommairement la figurine, brossa la terre qui maculait les pieds, retira les brins d'herbe emprisonnés çà et là dans les fentes du bois et regagna la maison. Il déposa sa découverte sur le canapé, alla s'asperger le visage d'eau fraîche puis regagna le salon. Son regard alla de la statuette de bois sombre au carton posé sur la table.

T'étais peut-être pas des plus jojos copain mais ton cousin qui se planquait dans l'herbe a vraiment une tête d'apocalypse.

— Merci pour la tête d'apocalypse, t'as pas vu la tienne !

Un espoir insensé envahit Xavier. Du fond de son cercueil cartonné, Numéro 8 avait parlé.

— Oublie Numéro 8, copain, tu veux bien. Numéro 8 est en mille morceaux et tu n'es pas complètement abruti au point de croire que le puzzle en terre cuite qu'il est devenu puisse encore être capable de tenir un semblant de conversation.

Même si le langage était identique, la voix moins caverneuse présentait une tonalité plus veloutée.

— C'est le bois qui veut ça, copain. Moins de résonance qu'avec la terre cuite.

...?

— Je suis le verso du barbu à bonnet qui t'a accompagné jusqu'ici. Tu m'as découvert, je te laisse donc l'honneur de me baptiser comme ça te chante. Quand Caleb Howlett qui n'était pas encore le vieux Caleb à l'époque m'a sculpté dans ce morceau de bois rouge il y a quarante et un ans, il a oublié de me donner un nom. En revanche, si tu pouvais juste éviter de me fourguer un patronyme trop franchouillard, type Jean-René, Francis ou Guy-Edmond, ça m'arrangerait. Je tiens quand même à mes racines et j'ai plus une tête à figurer sur le maillot des All Blacks que sur un couvercle de boîte de camembert normand.

Xavier fit un rapide calcul. Quarante et un ans, 1976, l'année où Numéro 8 sortait des moules des ateliers Frachon.

Tiki One.

— Quoi Tiki One ?

Tu es le premier tiki que je rencontre. Tiki One, ce sera ton nom.

— Ouais, pourquoi pas. Ça sonne pas trop mal et c'est pas plus idiot que Numéro 8. Maintenant il faut que tu arrêtes de culpabiliser en ce qui concerne la disparition du nabot, tu n'y es pour rien. Il n'est pas possible de voir en même temps un recto et son verso, ça ne s'est jamais vu. C'est l'un ou c'est l'autre, jamais les deux simultanément. Il était dans l'ordre des choses que ton petit pote disparaisse pour que j'apparaisse, tu comprends ? Il a fait sa part du boulot en t'accompagnant jusqu'ici, à moi maintenant de reprendre le flambeau, copain. Ici, c'est mon territoire.

Malgré la promesse qu'il s'était faite de ne plus boire une goutte d'alcool avant longtemps, Xavier alla se servir un verre de whisky. Son regard glissa pour la énième fois des restes de Numéro 8 à la sculpture maorie. Celle-ci n'était finalement pas si différente que ça du gnome. Même âge, même taille, même poids, même couleur, même langage. Que pouvait bien posséder de plus Tiki One que n'avait pas Numéro 8 ? Xavier s'empara d'une feuille de papier qu'il noircit d'une écriture nerveuse.

Angèle = Legna
Départementale 999 = Route 66
Résidence d'Alzon = Baraque de Maipito Road

Hélène Aspic = Eva Adams
La fouine = le kiore
Numéro 8 = Tiki One
Xavier Barthoux = ?

La vue du point d'interrogation posé au bas de la feuille l'angoissa. Que cachait ce signe de ponctuation insignifiant ? Comme pour Numéro 8, existait-il quelque part un verso de lui-même attendant son anéantissement pour daigner faire son apparition ? Le soleil rasant vint caresser la tête du tiki. Le jeu d'ombre et de lumière creusa un peu plus encore les traits du visage grimaçant. Les mots s'échappèrent d'entre les lèvres proéminentes en un murmure.

— Les signes copain, n'oublie pas, toujours chercher les signes.

31

Les travaux de débroussaillage ne suffirent pas à étancher sa soif d'activité. Bien conscient que l'exercice physique constituait le meilleur moyen de chasser la tristesse mais aussi la peur qu'avait fait naître en lui la disparition de Numéro 8, prélude peut-être à son propre anéantissement à venir, il se chercha une nouvelle occupation. Après avoir ratissé et rassemblé en tas les fougères au fond du terrain, il entreprit de repeindre les murs de la maison. Sans les broussailles et les hautes herbes pour venir caresser ses flancs, la bicoque semblait des plus délabrées ainsi posée sur son tapis de verdure coupée à ras. Legna accepta avec enthousiasme sa proposition de rafraîchir les façades.

Des bulles réminiscentes crevèrent la surface de sa mémoire tandis qu'il choisissait avec la jeune femme la future couleur à appliquer. Images de Mô au milieu de ses pots, souvenir d'Angèle au magasin de bricolage discutant avec lui de la teinte du bardage. Des bulles qui éclatèrent sitôt apparues. Ils convinrent d'un bleu ciel pour les murs et d'un blanc cassé pour les fenêtres, la porte ainsi que le perron. La jeune femme fournit l'échelle et tout le matériel nécessaire à la réfection de la masure. La météo se mit de la partie et c'est torse nu sous un soleil radieux que Xavier attaqua les travaux. Il consacra les premiers jours à gratter, écailler, peler l'ancienne peinture, à mastiquer les fentes du bois, reclouer lorsque nécessaire les planches érodées par les intempéries avant de les poncer sous le regard attentif de Tiki One. Posée dans l'herbe, la statuette volubile y allait de ses remarques moqueuses.

— Tu vas finir par devenir un vrai pro du bardage, copain. Montage, démontage et maintenant peinture. « Entreprise Barthoux, on vous refait le tout pour pas un clou ! »

Je peux aussi te rafraîchir ta face de cauchemar si tu veux. Un petit coup de ponçage et je te barbouille tout ça façon maman Marie-Odile. Un beau rose poupon avec un soupçon de rouge pour le nez, ça te rendrait peut-être un peu plus sympathique, à moins que tu préfères un bleu schtroumpf, histoire d'être raccord avec la maison. T'en penses quoi, copain ?

Comme Numéro 8 avant lui, les réparties de Xavier plongeaient souvent le tiki dans un silence boudeur, silence qui ne durait jamais bien longtemps avant que jaillisse d'entre ses lèvres une nouvelle remarque acide. Deux fois par jour, l'une en milieu de matinée, l'autre en début d'après-midi, Eva Adams déboulait au bout du chemin, chaise de camping sous le bras et cruche de citronnade à la main. Xavier lâchait ses outils le temps de se désaltérer d'un ou deux verres puis reprenait le travail là où il l'avait laissé. Assise sur son pliant aux côtés de Tiki One, la voisine restait encore un petit moment à admirer l'homme en plein labeur avant de regagner ses pénates, le regard rassasié jusqu'à la prochaine visite.

— Elle est amoureuse, copain. Faut voir comment elle te mange des yeux. Méfie-toi, cette sorcière a peut-être rallongé ta citronnade avec un philtre d'amour.

Je me demande si elle ne vient pas plutôt pour toi, Miss Grain-de-beauté. Tu as remarqué comme elle s'assied toujours à tes côtés. Je ne lui donne pas deux jours avant qu'elle te tripote l'acajou à pleines mains.

Chaque fin d'après-midi et quel que soit l'état d'avancement des travaux, Xavier abandonnait le chantier. Après une rapide douche, il glissait le tiki dans son sac à dos et partait à pied en direction du village. Maipito Road n'eut bientôt plus de secrets pour lui. L'épouvantail et sa blouse délavée, l'éolienne à l'abandon, l'antique baignoire servant d'abreuvoir aux troupeaux, le piquet de parc brisé en son milieu, la pierre de sel mille fois léchée posée en bordure de champs, autant de repères visuels qui balisaient sa route. Arrivé à Waitangi, il retrouvait Bobby sur son banc, un Bobby tout entier plongé dans sa lecture du jour. Alors, parfois sans même un mot, il s'asseyait à ses côtés et si la météo le permettait regardait le disque rougeoyant glisser derrière l'horizon, avec à chaque fois le sentiment profond de laisser un peu plus de lui-même sur cette île perdue du Pacifique sud tandis que ce même soleil qui disparaissait au loin s'en allait arroser de ses rayons l'autre monde, celui de sa vie d'avant, un monde aussi définitivement brisé que le corps d'argile de Numéro 8. S'ensuivait toujours le même programme. Boire une bière en compagnie de Bobby, le laisser un peu se vider de son trop-plein d'Amérique jusqu'à ce que sa mère surgisse pour prendre commande, tantôt *fish*, tantôt *beef*, et puis s'en retourner dans la nuit, le ventre et les oreilles repus. Une petite heure de marche sous la lune à écouter Tiki One lui narrer son histoire, de sa naissance sous la gouge du dernier des Moaï à sa découverte dans les hautes herbes. Arrivé à la maison, se coucher et s'endormir comme un bébé en respirant les émanations envoûtantes de bois rouge exhalées par le tiki allongé près de lui tandis qu'au-dessus de sa tête le kiore entame sa série d'allées et venues sous le toit de tôles.

Les murs apprêtés, Xavier s'attela avec entrain à la peinture. Nourrir le bois sec à grandes léchées de pinceau, lisser les coulures, étaler sous le rouleau le bleu d'un ciel sans nuages le combla. Les encadrements de fenêtres demandèrent plus de soin. Il s'appliqua à réchampir les bords à l'aide de la brosse ronde sans déborder sur le bleu puis roula les aplats. Une fois la porte et le perron recouverts d'un blanc immaculé, il traversa le terrain jusqu'au chemin avant de se retourner sur son œuvre. Le résultat était saisissant. Seul le rouge orangé des tôles rouillées du toit dénotait avec le reste. La plus belle des récompenses fut l'exclamation ravie de Legna lorsqu'elle passa en fin d'après-midi pour voir l'avancée des travaux. Son « Ouah » à la vue de la baraque bleu et blanc posée sur le parterre verdoyant le transporta de joie.

— Je venais vous proposer de souper à la maison demain soir si vous êtes libre, proposa la jeune femme.

Entre les sandwichs avalés sur le pouce le midi et la popote de Rosie en soirée, la perspective de déguster un vrai repas en tête à tête avec Legna enchanta Xavier qui accepta sur-le-champ.

— J'espère que vous aimez le fromage, ajouta-t-elle malicieuse.

Il sourit. Angèle avait toujours veillé à ce que les seuls produits laitiers présents dans le frigo, outre le beurre qu'elle tolérait à doses mesurées pour le petit-déjeuner, se limitent à des yaourts à zéro pour cent, ramenant constamment sur le tapis son taux de cholestérol. Ton HDL est trop bas et ton LDL n'arrête pas de grimper, le serinait sa femme dès qu'il approchait d'une source de matière grasse. À l'entendre, HDL contre LDL était le combat du siècle, un combat à remporter par le premier sur le second si on voulait mourir en bonne santé. Tu te diriges tout droit vers de gros problèmes, mon chéri, ajoutait-elle avec cet air d'institutrice menaçante qu'elle savait si bien adopter. Et de gros problèmes dans la bouche d'Angie ne signifiait rien d'autre qu'infarctus du myocarde, accident vasculaire cérébral ou rupture d'anévrisme. Pour elle, manger du fromage équivalait à s'injecter un énorme shoot de graisse dans les veines. En créant l'interdit, elle n'était parvenue qu'à rendre le produit encore plus désirable. Oui, Xavier aimait le fromage, l'aimait plus que jamais et le dit haut et fort à Legna.

— Je vous offre un thé ?

— Avec plaisir.

— Laissez-moi me débarbouiller et passer des vêtements propres et je suis à vous.

— Prenez votre temps.

Nettoyer à l'aide d'essence de térébenthine ses mains entachées de bleu et de blanc, de vraies mains de schtroumpf lui fit remarquer Tiki One depuis le salon, lui prit près de cinq minutes. Les pieds posés bien à plat sur la lame de parquet marquée d'une croix, Xavier contempla son reflet dans le miroir de la salle de bain. À force de travail et d'exercice, son corps s'était métamorphosé. Le bourrelet de graisse qui naguère bardait sa taille avait fondu en grande partie. Tannée par le soleil, sa peau affichait un hâle homogène. Plus aucune trace en lui et sur lui de ce directeur commercial rasé de frais, encravaté, pâlot et ventripotent qu'il avait été. En lieu et place, ce type en short et torse nu, à la tignasse échevelée, bronzé et barbu, avec dans le fond des yeux une luisance persistante, cadeau abandonné par la fièvre en se retirant. Il enfila pantalon et tee-shirt propres avant de retrouver Legna au salon. Assise sur le canapé, la jeune femme l'attendait, Tiki One posé sur les genoux.

— J'ai toujours cru que grand-père s'en était débarrassé. Où l'avez-vous trouvé ?

— Au fond du terrain, à demi enseveli sous les fougères.

— Petite fille, j'en avais fait mon poupon lorsque je venais ici, confessa-t-elle nostalgique. Grand-père l'aimait bien. Il m'a avoué un jour que le tiki lui parlait. Moi, il ne m'a adressé la parole qu'une seule fois.

— Et que vous a-t-il dit ?

— Une phrase qui est restée gravée dans ma mémoire. Il m'a dit : « À cet étranger qui un jour repeindra cette maison, un repas tu offriras. »

Devant la mine ahurie de Xavier, Legna ne put conserver son sérieux plus longtemps et explosa de rire.

— Le tiki ne m'a jamais parlé, c'est même tout le contraire. Je passais mon temps à le saouler de paroles avec mes histoires de princesse et de dragon. Et puis je le déguisais, lui enfilais mes habits de petite fille, lui confectionnais des perruques à l'aide d'herbes sèches que je lui posais sur la tête, maquillais à la craie ses lèvres, ses joues, ses yeux. Laisse-le donc un peu en paix, il ne t'a rien fait le pauvre, rabâchait sans arrêt grand-père. Comme j'ai pu le martyriser ce brave tiki.

Xavier imagina sans mal la gamine grimant la statuette.

Tiki-le-poupon-qui-tire-la-langue, tu devais être ravi, copain.

— Un enfer, souffla le concerné. Sans parler de cette fois où elle n'a rien trouvé de mieux à faire que de me coller des tatouages de Malabar sur tout le corps. Dix-huit elle m'en a mis, dix-huit décalcomanies que le vieux a passé une matinée entière à poncer une à une pour m'en débarrasser. Je pense que s'il ne m'avait pas caché au fond du terrain, j'aurais fini avec le bois hérissé de clous et les pieds noircis à la flamme par cette apprentie tortionnaire.

— Et vous, il vous parle? demanda la jeune femme le plus sérieusement du monde.

— Pardon?

— Le tiki, il vous parle?

À n'importe qui d'autre Xavier aurait menti, affirmant que non, que ce bout de bois grossièrement sculpté ne lui adressait pas la parole mais il ne put s'y résigner, pas avec Legna. Son rire, son regard parfois, sa manière de s'extasier, tout en elle exprimait l'innocence de l'enfance. Elle était prête à entendre l'impossible, il en était convaincu, prête à croire une chose aussi invraisemblable que celle qu'il s'apprêtait à reconnaître. Il plongea.

— Oui, je l'entends, si vous voulez tout savoir. Je l'entends et lui m'entend lorsque je lui parle.

Le regard de la jeune femme se fit perçant.

— Et qu'est-ce qu'il vous raconte ?

— Que petite, vous aimiez les Malabar, surtout pour les décalcomanies que contenait leur emballage.

Elle rougit.

— Jamais je n'ai vu grand-père aussi fâché que ce jour-là.

Soudain rêveuse, elle laissa courir ses doigts sur le bois rouge.

— Vous avez de la chance de l'entendre. J'ai longtemps prié pour avoir cette chance. J'enviais et jalousais grand-père pour ça.

Xavier servit le thé et prit place sur la banquette en se demandant s'il fallait considérer la capacité à percevoir les paroles du tiki comme une chance ou une calamité.

— Vous m'apprendrez ?

— Vous apprendre quoi ?

— À l'entendre.

— J'ai bien peur de ne pas pouvoir faire grand-chose. Je crois que ça marche un peu comme une fréquence radio. Tant qu'on n'est pas sur le bon canal, on ne capte rien. Le problème, c'est que c'est lui qui tourne le bouton des fréquences et qui décide de qui peut l'écouter ou non.

Il eut une bouffée de nostalgie en repensant à ce que Numéro 8 appelait sa radio Rhododendron.

— Alors dites-lui que je suis vraiment désolée pour tout le mal que je lui ai fait.

— Promis.

Tu as entendu, copain ?

— J'ai entendu. Réponds-lui que je lui pardonne tout, sauf peut-être la fois où elle m'a tartiné la langue de miel avant de me coucher au milieu de la fourmilière. Ça me démange encore parfois au milieu de la nuit.

— Il pardonne.

— Merci.

Xavier se racla la gorge.

— Sauf pour le miel et les fourmis.

32

Comme s'il avait attendu la fin des travaux pour sévir à nouveau, le mauvais temps s'abattit sur l'île dès le lendemain. La température chuta sévèrement et les fortes pluies accompagnées de bourrasques cantonnèrent Xavier à l'intérieur de la maison. Il tourna un temps en rond avant d'aller se poster devant la glace de la salle de bain, maudissant Numéro 8 pour ses propos énigmatiques, se demandant quelle pouvait bien être cette chose que contenait le miroir qu'il ne voulait pas voir.

— Dans le genre je sais tout mais je ne dis rien, il était fort le frangin, reconnut Tiki One. Je n'aurais pas fait mieux.

Toi qui es aussi tordu que lui, tu n'aurais pas une petite idée de ce qu'il a voulu dire ?

— Simplement que tu ne veux pas voir ce que te montre le miroir, un peu comme ta fissure derrière la vigne vierge. Reconnais qu'il t'a tout de même fallu des années avant que tu la remarques alors que tu l'avais sous les yeux.

Xavier examina pour la énième fois la lézarde qui zébrait la glace sans déceler quoi que ce soit de particulier, ni dans sa forme ni dans son aspect. Las, il retourna au salon et attrapa le premier classeur à disposition parmi la vingtaine alignée sur les étagères. Si Legna avait dit vrai, les documents rangés ici abritaient la réponse à cette autre énigme : pourquoi Caleb Howlett était-il considéré comme un héros par certains îliens et comme un dangereux agitateur par d'autres ? Il s'installa sur le canapé et tourna les premières pages. Le classeur recelait de nombreuses notes griffonnées et raturées, des pelures couvertes d'une écriture brouillonne toute en pattes de mouche qu'il feuilleta rapidement avant de s'emparer d'un deuxième classeur. Ici, les notes avaient été retranscrites à l'aide d'une machine à écrire.

— Tapées sur une Underwood qui faisait un raffut de tous les diables, je peux te le dire, intervint Tiki One. *Tac tac tac tac*, jusqu'à dix heures par jour. Le vieux était infatigable quand il s'agissait d'écrire. Enfin, je ne t'apprends rien, tu sais ce que c'est, toi qui es écrivain.

Le persiflage du tiki le laissa de marbre. Pas envie d'entrer dans son petit jeu. Bien que délavé par les ans, le texte rédigé dans un anglais académique était agréable à lire en plus d'être aisé à déchiffrer. Xavier parvint sans trop de mal à en saisir l'essence malgré ses connaissances limitées de la langue. Son regard captivé vola de page en page, se posait sur une phrase, piochait un mot avant de sauter sur un autre quelques lignes plus loin. Les écrits du dernier des Moaï l'emportèrent tel un morceau de bois sur un fleuve aux flots tantôt calmes, tantôt tumultueux, un fleuve dont les eaux se teintèrent bientôt de rouge au fil de l'histoire. La vieille boîte à chaussures dénichée entre deux classeurs contenait une cinquantaine de photos, des photos en noir et blanc abîmées pour la plupart, écornées, parfois annotées et datées, des images qui ne firent que confirmer ce que laissait entrevoir le texte. Sur certains clichés, on pouvait voir des femmes et des enfants à la peau foncée, pieds nus, des couvertures sur le dos, posant devant un habitat rustique. Sur d'autres, des hommes assis en tailleur, quelques-uns munis de bâtons, fixaient l'objectif, la mine grave. Sur un autre encore, un couple d'autochtones engoncés dans des vêtements soignés prenait la pose, les bras pendants le long du corps comme s'ils ne savaient qu'en faire. Tous partageaient une même couleur de peau, les mêmes cheveux noirs, le même regard sombre. Des survivants d'un autre âge. Il se dégageait de ces personnages une impression de profonde résignation. Et parmi ces photos, comme dans un jeu de cartes macabres, se cachaient des vues de corps allongés dont on devinait aisément qu'il s'agissait là de cadavres. Femmes, hommes, enfants, vieillards, étendus côte à côte à même le sol dans une promiscuité dérangeante. La dernière image montrait un empilement désordonné de crânes blanchis, des crânes sans squelette aussi anonymes que des pierres. À la mi-journée, les coups frappés à la porte arrachèrent Xavier à l'examen des documents.

— *Mister Bartou, Mister Bartou.*

Ruisselante d'eau, Eva Adams se tenait sur le perron, une pleine cagette de légumes sur les bras. Les traits du visage, l'implantation basse des cheveux, le regard foncé, le menton volontaire, le sourire triste, tout dans sa voisine lui rappelait les femmes vues sur les photos. Elle aurait pu être l'une d'elles, pensa-t-il, même si près d'un siècle les séparait.

— *For you, to eat.*

Elle avait affronté une météo à ne pas mettre un chien dehors pour lui apporter ce qui ressemblait à de grosses carottes terreuses.

— Pas des carottes, mon lapin, mais de l'igname. Une offrande. La vieille veut t'attirer dans son lit à coups de patates douces.

Le rire gras du tiki ponctua sa réplique. Xavier la remercia, lui dit que c'était trop, qu'il ne fallait pas, qu'il était gêné mais également désolé de ne pas pouvoir l'inviter à entrer car trop accaparé par l'écriture de son prochain roman. Les classeurs, les photos et feuilles éparses étalés sur le canapé, sur la table basse et jusque sur le tapis confirmaient ses dires. Elle comprenait, opina de la tête, lui dit que c'était bien et même courageux de poursuivre l'œuvre du vieux Caleb. Trop estomaqué pour démentir, il ne put que regarder la voisine rabattre la capuche de son ciré sur sa tête et s'en retourner après lui avoir déposé son fardeau sur les bras. En guise de repas, il se contenta d'un bol de céréales avalé sur un coin de table. Xavier passa l'après-midi à dévorer des yeux tout ce qui se trouvait à lire sur les étagères. La dernière page parcourue, il resta un temps échoué sur la rive, hagard et plein d'une tristesse infinie que même le sourire rayonnant de Legna venue le chercher en début de soirée eut toutes les peines du monde à dissiper.

Il laissa Tiki One à la maison malgré les cris de protestation de la statuette qui ne voulait manquer ce repas en tête à tête pour rien au monde. Si je t'emmène, lui fit judicieusement remarquer Xavier, cela n'aura plus rien d'un souper en tête à tête. Je te raconterai, lui promit-il en prenant place à bord de la voiture. Les hurlements colériques du tiki s'estompèrent au bout de cinq cents mètres. Cinq cents mètres, la portée maximale de radio Tiki, songea Xavier en souriant.

— Qu'est-ce qui vous amuse comme ça ?

— Le tiki nous souhaite bon appétit.

Legna habitait Owenga Road, face à l'océan. La baie vitrée offrait une vue à couper le souffle sur l'immensité gris-bleu. Lorsque la jeune femme lui avait parlé de fromage, pas un seul instant il ne s'était préparé à la surprise qui l'attendait. Manger une fondue suisse à près de vingt mille kilomètres à vol d'oiseau du lac Léman avait de quoi étonner. Le caquelon, la corbeille remplie de morceaux de pain, les pics et le vin blanc du Valais avec en fond d'écran les vagues écumantes du Pacifique sud composaient un tableau des plus surréalistes.

— J'avais omis de vous dire qu'en plus de la langue de Molière et du chocolat, j'ai hérité de ma mère son goût pour la fondue. Le plus dur est de faire venir le fromage. Je le commande via internet. Il arrive sous vide par avion. Je vous laisse ouvrir le vin ?

Tandis qu'au-dehors les éléments déchaînés cinglaient la baie vitrée, ils burent et mangèrent avec entrain, riant lorsque l'un d'eux égarait son bout de pain au milieu du fromage en fusion.

— Ça doit vous changer des plats du Fichobif, fit remarquer Legna.

— Du... ?

— Fichobif. C'est comme ça que les gens du coin appellent le restaurant de Rosie. À force de l'entendre proposer aux clients *fish or beef*, ils ont fini par baptiser l'endroit le Fichobif.

Xavier but une gorgée de vin avant de se lancer.

— Je crois avoir découvert le nom des fantômes que votre grand-père a réveillés. En même temps, ce n'était pas très compliqué, on le trouve partout dans ses écrits.

— Et je suis sûre que ce nom ne vous disait rien quand vous êtes tombé dessus la première fois, je me trompe ?

— Oui, en effet. Je connaissais les Maori comme tout le monde, mais les Moriori, non, j'avoue que ça ne me disait absolument rien.

— Et c'est bien là leur grand malheur, ça n'a jamais rien dit à personne. Pour faire court, les Moriori ont été les premiers habitants des îles Chatham. Oh, ils n'étaient ni pires ni meilleurs que les autres et passaient leur temps à se battre entre tribus, œil pour œil, dent pour dent, jusqu'au jour où ils ont compris que s'entretuer plombait dangereusement la courbe démographique de l'espèce et que leur seule chance de survie résidait dans le fait de devenir pacifiques. On doit leur reconnaître cette intelligence rare de n'avoir pas eu besoin des gentils missionnaires blancs pour venir leur expliquer à coups de fusil et de crucifix le concept du « Tu ne tueras point », ils l'ont pigé tout seuls. Ils ont vécu ainsi près de deux siècles sur ce bout de terre, juste entre eux, *peace and love*, à pêcher, à récolter les coquillages, à chasser paisiblement le phoque jusqu'à ce que le monde extérieur débarque un beau matin sur leur plage. Entrez sans frapper, c'est ouvert. D'abord les Britanniques qui ne se sont pas gênés pour prendre aussitôt possession de l'endroit comme tout bon colonisateur qui se respecte, puis une horde de Maori qui a déferlé sur l'île en s'empressant de massacrer une bonne partie de la population, de pauvres bougres sans défense qui avaient oublié depuis longtemps ce que se battre voulait dire. Les rares survivants eurent l'immense privilège de se voir réduits en esclavage. Sur une population estimée à près de deux mille individus avant l'invasion, on n'en dénombrait plus qu'une petite centaine à la fin du dix-neuvième siècle. Le dernier Moriori pure souche est officiellement mort dans les années 30. Il a même sa statue au sud de l'île, à deux pas d'ici, je vous la montrerai à l'occasion. Lorsqu'il est revenu habiter ici, mon grand-père a commencé à écrire quelques articles sur le sujet. Il a d'abord gratté ce pan d'histoire machinalement, manière de s'occuper, puis s'est mis à creuser de plus en plus profond, jusqu'à ce que sortir de l'oubli tous ces gens disparus devienne sa raison de vivre. On l'a accusé de vouloir attiser les rancœurs entre descendants de sang-mêlé et maori pure souche mais son seul souhait était de rendre justice à ce petit peuple pacifique oublié de tous.

— Votre grand-père devait être quelqu'un de bien.

— Avec un caractère de cochon mais oui, c'était un type bien. Mais assez parlé du passé, parlons plutôt du présent. Qu'est-ce qui vous a amené ici ?

— Besoin de m'évader, prétexta Xavier, de quitter mon univers habituel pour me consacrer pleinement à l'écriture.

Il n'osa pas affronter le regard de Legna qui se contenta de cette réponse, même si intuitivement elle n'en croyait pas un mot. Ce type court lui aussi après un fantôme, se dit-elle en le regardant embrocher un nouveau morceau de pain. Ils parlèrent musique, cinéma, littérature, cuisine, conversèrent de tout et de rien pour le simple plaisir d'échanger. Xavier se surprit à raconter des histoires drôles, savourant chaque éclat de rire de la jeune femme.

— Pour vous remercier du travail que vous avez fait sur la maison, j'aimerais vous faire un petit cadeau, Xavier, annonça Legna d'une voix pleine de mystère au moment de le raccompagner.

Elle venait de prononcer son prénom pour la première fois.

— C'est une chose qu'il est donné à peu de gens de vivre, quelque chose que certains viennent de très loin et paient cher pour pouvoir y assister même si d'autres ne voient là-dedans rien d'extraordinaire.

— Vous m'intriguez.

— Est-ce que vous êtes sujet au mal de mer ?

— Non.

Pas à ma connaissance, faillit-il ajouter. Sa seule expérience maritime se limitant à un canotage en pédalo sur la surface immobile d'un plan d'eau, il ne pouvait jurer de rien concernant une éventuelle prédisposition au mal de mer. À travers la nuit, il devina l'océan battu par les vents à droite de la route et regretta son mensonge. Legna le rassura.

— Le grain qui sévit actuellement devrait se calmer dans les heures qui viennent. La station météo prévoit un retour au beau fixe pour le restant de la semaine. J'ai programmé notre sortie en mer pour après-demain. Seule obligation, je vous demanderai de vous tenir prêt sur les coups de 3 heures du matin, je passerai vous chercher. Et munissez-vous d'habits chauds, il fait plus que frisquet à cette heure-là.

Le bleu de la façade surgit bientôt dans les phares. Xavier aurait aimé prolonger l'instant, goûter plus longuement à cette promiscuité avec la jeune femme dans l'habitacle feutré du 4×4 fouetté par le vent et la pluie. Il l'invita à entrer. Elle sourit.

— J'ai pour principe de ne jamais coucher après la première fondue.

— Et pour partager un thé à l'eau de pluie? insista Xavier.

— Merci c'est gentil à vous mais je travaille demain et il se fait tard. N'oubliez pas d'embrasser poupon de ma part.

La gêne s'empara d'eux au moment de se séparer. Ils se serrèrent la main avant de s'embrasser maladroitement sur les joues. Xavier ouvrit la portière puis, après un temps d'hésitation, se retourna pour voler à la jeune femme un baiser tout en délicatesse qu'elle accueillit sans se dérober. Ils se quittèrent sur cet effleurement de lèvres à lèvres, chacun emportant dans la nuit le souvenir de cette caresse délicieuse.

33

Les phares balayèrent les rideaux du salon tandis que le 4×4 se garait devant la maison. Xavier se jeta hors du lit et tâtonna dans l'obscurité à la recherche de son pantalon qu'il enfila en sautillant à cloche-pied tout en maudissant Tiki One.

Bravo, je vois qu'on peut compter sur toi.

— Au cas où monsieur ne l'aurait pas remarqué, il n'a pas devant les yeux un réveil-matin mais la représentation délicate d'une divinité maorie sculptée dans un bois précieux.

Divinité ou pas, ce n'était pas compliqué de sonner le clairon à l'heure demandée. Trois heures moins le quart je t'avais dit.

— Si t'es pas content, fallait demander ça au kiore, c'est sa spécialité à ce grignoteur d'œufs de mouette de réveiller les gens au milieu de la nuit.

J'ai l'air de quoi moi ?

— D'un type tombé du lit, pas coiffé, avec une haleine de fennec et qui vient de mettre son pull à l'envers.

Il ouvrit à Legna.

— J'arrive, le temps de me laver les dents.

— C'est bon, je suis un peu en avance. J'ai préparé une grande thermos de café et il y a des viennoiseries, on déjeunera sur le bateau.

Dents lavées et pull mis à l'endroit, Xavier jeta une veste en laine polaire sur ses épaules et attrapa le ciré suspendu au porte-manteau.

— Je suis à vous.

— Vous n'emmenez pas Poupon ?

— Par pitié, dis-lui qu'elle arrête de m'appeler Poupon.

— Non, je ne voudrais pas que les embruns esquintent le bois précieux de sa divine majesté.

— Tu sais ce qu'elle te dit, sa divine majesté ?

— Il vous parle là ?

— Oui.

— Il dit quoi ?

— Qu'il adore quand vous l'appelez Poupon.

Au moment de partir, Legna déposa un baiser sonore sur la joue du tiki sous le regard amusé de

Xavier qui se garda bien de lui rendre compte du déluge de gros mots craché par la statuette.

La fraîcheur le surprit au sortir de la maison. À peine dix degrés, confirma la jeune femme en consultant la température affichée au tableau de bord. Ils remontèrent Maipito Road sous un ciel constellé d'étoiles. Moins d'un quart d'heure plus tard, le véhicule s'engageait sur le parking du port. Le bateau les attendait le long du quai, moteur tournant au ralenti. Seule source lumineuse, la cabine puissamment éclairée flamboyait dans la nuit. Legna franchit d'un pas assuré l'espace entre le quai et l'embarcation d'où montait le clapotis de l'eau contre la coque. Xavier enjamba à sa suite le bastingage et monta sur le pont. Longue d'une dizaine de mètres, la vedette avait connu des jours meilleurs. Boiserie fatiguée, tissu des assises élimé, inox de l'accastillage terni. Les flotteurs suspendus aux mains courantes avaient verdi avec le temps.

— Bienvenue à bord du Santa Monica Monsieur L'Écrivain, le salua Bobby. Ne vous fiez pas aux apparences, poursuivit le géant devant son regard circonspect, cette coquille de noix est ce qu'il y a de mieux dans tout l'archipel. En près de quarante ans de service, elle a promené plus de touristes que n'en a jamais emmené le Queen Mary.

L'hôtelier tout sourire avait coiffé sa tête d'une casquette blanche de capitaine pour l'occasion.

— Ma mère nous a concocté un plein panier de donuts, un peu gras j'en conviens mais vous savez comment est sa cuisine. Servez-vous. Elle a pour habitude de dire que si le voyage dure deux heures, il faut avoir de quoi vomir pendant deux heures. C'est à peu de chose près le temps qu'il va nous falloir pour franchir les douze miles qui nous séparent de notre destination mais je ne partirai pas d'ici avant que tu m'aies servi une tasse de café brûlant, Legna.

Interrogé sur la destination, Bobby resta muet comme une tombe.

— Tout ce que je peux vous dire, c'est que ça n'a pas de prix et que ça ne coûte rien d'autre qu'un peu de carburant et un panier de donuts. En attendant, enfilez ça, la petite ne me pardonnerait pas que je vous perde en haute mer.

D'un orangé délavé, le gilet de sauvetage dégageait une forte odeur de moisi. Une fois son mug rempli et les amarres larguées, Bobby libéra les trois cents chevaux du moteur qui rugit tandis que le bateau s'arrachait du quai. La vedette longea les côtes jusqu'au sud de l'île avant de filer pleine mer cap au sud-est. Sous ses allures vétustes, le Santa Monica cachait bien son jeu. Le bateau fendait les flots avec agilité, son sillage dessinant sur la surface noire des eaux une grande balafre claire. Cramponné des deux mains au montant de la cabine, Xavier, yeux clos, goûtait aux embruns qui frappaient son visage. Legna le trouva beau, la tête ainsi basculée sous le plafond d'étoiles. Plusieurs cafés et donuts plus tard, la masse sombre frangée d'écume surgit dans la nuit.

— Pitt Island, expliqua la jeune femme avant même qu'il ait posé la question. Un bout de caillou quatorze fois plus petit que Chatham.

La vedette remonta le long des côtes déchirées, succession de falaises et de plages sauvages, jusqu'au nord de l'île où ils accostèrent sur la seule digue existante. Bobby consulta sa montre.

— Allez-y les jeunes, je garde le bateau et les donuts. Il vous reste une demi-heure pour grimper là-haut mais ne traînez pas, il ne vous attendra pas pour commencer. De mémoire d'homme, il n'a jamais attendu personne.

La montagne dominait l'océan d'une hauteur de plus de deux cents mètres. Legna s'élança d'un bon pas sur le sentier qui serpentait à flanc de colline. Calé sur ses talons, Xavier suivit, l'esprit hanté tout le temps de l'ascension par ce « il » mystérieux évoqué par Bobby. Le souffle du vent les accueillit au sommet, rien d'autre que le souffle du vent qui fit voler leur cheveux et claquer les pans de leur ciré. Vue d'en haut, la cabine du Santa Monica se réduisait à un lumignon minuscule ballotté par la houle. Legna tira Xavier par la manche et l'invita à porter son regard vers l'est où se devinaient les premières lueurs de l'aube. Les yeux de la jeune femme étincelèrent dans la nuit finissante.

— Il arrive, murmura-t-elle à la fois émue et excitée à la vue du trait flamboyant qui embrasait l'horizon.

Elle lui prit la main.

— Nous sommes à l'endroit de la planète où commence le jour. Pitt Island est la première terre rencontrée après la ligne de changement de date, pôles exceptés, même si des petits malins bien intentionnés vous diront que c'est faux, que depuis l'an 2000 et ce foutu réalignement, c'est l'île du Millénaire, une langue de terre inhabitée de la république des Kiribati, qui détient ce privilège mais ce n'est que le résultat d'un détournement honteux de la ligne. Le pays à la frontière du lendemain, c'est ici et nulle part ailleurs. Parmi les sept milliards et demi d'habitants qui vivent sur la planète, nous sommes les premiers à voir cette journée se lever, Xavier. Cette journée est la tienne, m'a dit mon grand-père la première fois où il m'a emmenée ici, elle t'appartient de plein droit. Fais-en bon usage.

Dix minutes, c'est tout ce qu'il fallut au disque solaire pour se hisser au-dessus du Pacifique sud et dévorer les derniers lambeaux de ténèbres. Tandis que la pluie de photons s'abattait sur eux, Legna saisit le visage de Xavier entre ses mains et l'embrassa. Un long baiser dans lequel ils se noyèrent l'un l'autre avant de regagner la surface, étourdis et le souffle court. Ils se contemplèrent. La lumière du levant baignait leurs visages. Dans un geste empli de douceur, la jeune femme fit courir son index sur la lèvre supérieure de l'homme, juste à la limite de la moustache. Un geste que personne n'avait jamais fait avant elle, pas même Angie malgré les années de vie commune. Il tressaillit, tous les muscles de son corps tendus comme sous l'effet d'une décharge électrique.

— Ça va ? s'inquiéta Legna.

— Ça va, mentit Xavier qui embrassa son cou afin de cacher son trouble.

Ils descendirent la colline en silence, elle ouvrant la marche, lui posant ses pieds dans ses pas, avec entre les deux cette gêne que le geste anodin de la jeune femme avait fait naître en lui. Le retour sur Waitangi leur parut beaucoup plus court qu'à l'aller. Deux heures assis sur la plage avant du Santa Monica, à se tenir la main, bercés par les vibrations du moteur sur la coque, insensibles aux embruns qui s'abattaient sur eux. Bobby leur proposa de rester manger au Fichobif. Ils le remercièrent mais déclinèrent l'invitation. Legna lui rappela qu'avaler la cuisine de Rosie une fois dans la journée était un bonheur, deux fois un suicide. Le grand gaillard n'insista pas. Un appétit d'un autre ordre les animait. Ils roulèrent sans prononcer un mot jusqu'à la maison du dernier des Moaï, conscients l'un et l'autre que ce calme ne faisait que précéder le déchaînement des passions. Sitôt franchi le seuil, ils s'embrassèrent avec fougue, se déshabillèrent et s'allongèrent sur le matelas sous le regard de Tiki One posé au pied du lit.

— Je ne couche jamais après la première fondue, déclama le tiki en singeant la jeune femme. Tu remarqueras copain que Miss Lac-Léman n'a pas attendu la prochaine tartiflette pour te sauter sur le paf. Drôle de façon de faire bon usage de sa journée. Papy Caleb doit se retourner dans sa tombe.

— Attends une seconde, tu permets, murmura Xavier à l'oreille de Legna.

Il se pencha et retourna le tiki face contre le tapis.

Désolé copain mais divinité ou pas, il est certaines scènes du commun des mortels qui doivent rester pour toi à jamais un mystère.

34

Legna quitta la maison en milieu d'après-midi, prétextant un travail à finir. Elle n'osa pas lui avouer la véritable raison de son départ, ce malaise qui habitait le regard de Xavier depuis qu'elle avait caressé ses lèvres en haut de la montagne, un malaise que même leurs ébats enflammés n'étaient pas parvenus à dissiper. Après son départ, il alla s'allonger sur le canapé et mains croisées derrière la nuque chercha à définir l'origine de ce trouble qui parasitait ses pensées. Les classeurs posés sur la table exposaient leur tranche cartonnée. Le mot MORIORI s'y étirait en lettres délavées. Les mêmes lettres que celles contenues dans le mot MIROIR. Il attrapa Tiki One posé sur le tapis. Qu'avait donc de plus le verso de Numéro 8 par rapport à son recto ? La statuette palpita entre ses mains.

— Et ce que j'ai en moins, tu y as pensé ?

Il contempla la face rouge sombre. Le jeu d'ombre et de lumière dessinait un sourire sur les lèvres de bois précieux. La réponse s'imposa à lui, évidente.

— Tu sais ce qui te reste à faire, copain.

Le Waitangi Store fermait ses portes à 19 heures. Xavier saisit sa veste et s'élança sur Maipito Road à grands pas, ébloui par ce soleil que lui et Legna avaient vu naître sur le monde ce matin même. Le magasin était désert. Occupé au téléphone, l'homme à la caisse le regarda d'un œil distrait par-dessus ses lunettes. De son père, la jeune femme avait hérité les yeux et la couleur des cheveux. Xavier trouva son bonheur au rayon hygiène et beauté. Il régla ses achats et s'en retourna du même pas pressé qu'à l'aller. Il atteignit la maison essoufflé et en sueur. Sans attendre, il se dirigea vers la salle de bain où il se dévêtit entièrement. Il peina à extirper le rasoir flambant neuf de son blister tant ses mains tremblaient. La lame scintilla lorsqu'il la déplia. Outre sa moustache, une barbe fournie colonisait à présent tout le bas de son visage. Il appliqua la mousse à raser et commença à tailler cette pilosité envahissante. D'abord hésitant, le geste gagna en assurance au fil des passes. La lame traçait sa route en crissant, acier contre peau. Mousse et poils mêlés tombaient sur la faïence du lavabo avant de disparaître dans la gueule sombre du siphon. Dix minutes furent nécessaires pour dégager le menton et les joues. Au moment de trancher la moustache qui barrait sa lèvre supérieure, il suspendit son geste. Il était encore temps d'arrêter, de replier le coupe-choux et d'en rester là.

— La moustache, copain, le sermonna Tiki One depuis le salon. C'est ta vigne vierge, la moustache, une vigne que tu vas me faire le plaisir de couper maintenant si tu veux découvrir celui qu'elle cache.

Au plus loin qu'il remonta dans ses souvenirs, Xavier ne parvint pas à se rappeler son visage avant cette moustache. Un visage jeté au fond d'un puits que la lumière ne visitait jamais. Il se remit à l'œuvre. Sitôt les derniers poils tombés dans le lavabo, il se pencha et rinça à grande eau sa figure, s'aspergeant plus longuement que nécessaire dans le seul but de repousser le moment d'affronter son reflet. Il releva la tête. Les pieds posés à l'antipode exact de la fissure d'Alzon où tout avait commencé, il vit l'être qu'il avait enterré des dizaines d'années plus tôt, un type enfoui dès le sortir de l'adolescence derrière ce paravent pileux dans l'espoir de l'oublier, persuadé que c'était la meilleure des choses à faire. Il approcha son visage du miroir. La cicatrice était toujours là, plus visible que jamais. Comment aurait-il pu en être autrement ? Elle étirait légèrement sa lèvre supérieure vers le haut avant de courir en ligne oblique jusqu'à la base de la narine gauche. Il caressa la fine boursouflure rosâtre. La fissure, cette fissure qu'il s'évertuait à combattre, était en lui, avait toujours été en lui, inscrite dans ses chairs, stigmate d'un ancien bec-de-lièvre, une fente labio-palatine qui déchirait en deux sa bouche de nourrisson avant qu'un chirurgien ne vienne réparer ce que Dame Nature avait omis de terminer. Libérés, les souvenirs affluèrent. La souffrance physique, les multiples opérations, les séjours à l'hôpital, les appareils d'orthodontie, les interminables séances chez l'orthophoniste et puis les moqueries, toutes les moqueries qui pouvaient faire plus mal encore que le bistouri, avec par-dessus tout ce surnom de « Gueule de Loup » qui l'avait poursuivi toute son enfance, une gueule qu'il avait fini par abhorrer jusqu'à se renier lui-même. Après avoir quitté le village, il n'y était jamais retourné. Trop peur de croiser des types qui lui rappelleraient son passé. Il avait questionné sa mère du haut de ces sept ans. Pourquoi ne possédait-il pas comme les autres cette marque en creux entre la lèvre supérieure et la base du nez ? Reprenant à son compte une ancienne légende juive, elle lui avait raconté que cette marque que les nourrissons présentaient à la naissance était l'empreinte de l'ange. Quand un bébé naît, lui avait-elle expliqué, il possède en lui toute la connaissance du monde mais pour sceller le secret et surtout effacer les souvenirs, un ange descendu du ciel vient poser son doigt sur la bouche du nouveau-né, ce qui laisse cette marque indélébile. Quant à toi, avait-elle poursuivi gravement, l'ange est venu mais n'a pas pu sceller le secret ni effacer les souvenirs. Tu as gardé en toi toute la connaissance du monde. Une connaissance dont le petit Xavier Barthoux n'avait que faire. Il avait imaginé l'être immaculé se poser dans un grand battement d'ailes à côté du berceau avant de grimacer à la vue de l'abomination qu'offraient la bouche et le palais ravagés de l'enfant, amalgame rose et blanc de chair et d'os mêlés. Les larmes roulèrent sur les joues glabres de Xavier. Il avait tué le garçon au bec-de-lièvre, lui avait refusé la vie en l'enfouissant derrière cette moustache et cet individu de pacotille qu'il était devenu, un usurpateur de lui-même. Exhumé près de quarante ans plus tard, l'homme se sourit à lui-même. Il avait une existence à remplir, une femme à aimer, des fondues à dévorer, un Bobby à écouter, des soleils à voir se lever, à regarder se coucher. Et des signes à suivre. Toutes les notes qui croupissaient dans l'ombre de cette maison l'avaient attendu. Une moisson de documents ne demandant plus qu'à être compilés pour être livrés au monde. Le vieux Caleb Howlett était mort sans être allé au bout de son combat, à lui de le poursuivre. Il existait deux manières de s'extraire d'un mensonge : l'avouer ou faire en sorte que celui-ci devienne vérité. Nègre posthume du dernier des Moaï, tel serait son destin.

Nu comme un ver, Xavier s'étendit sur le lit. Il ferma les yeux, se boucha les oreilles et laissa le cœur du monde emplir sa tête de ses battements puissants. La voix du tiki franchit le barrage de ses mains, plus claire que jamais.

— Te Tangata Ki Te Nawe.

Son nouveau nom d'homme que la statuette égrena entre deux battements comme une litanie.

— Te Tangata Ki Te Nawe.

— Te Tangata Ki Te Nawe.

— Te Tangata Ki Te Nawe.

L'homme à la cicatrice.

La femme fit courir son index sur la cicatrice de l'homme puis se pencha et embrassa ses lèvres. Concentré sur son œuvre, le maître tatoueur mettait les dernières touches à son travail. Les lignes sombres qui montaient du coude se rejoignaient sur le biceps en un entrelacs de plus en plus serré. Les circonvolutions venaient s'imbriquer les unes dans les autres pour engendrer le dessin. L'assistant tamponna la peau encrée à l'aide de son chiffon. La gueule dressée vers l'épaule, la tête de loup semblait hurler à la vie. L'homme bascula le regard vers la fenêtre par laquelle s'engouffrait la lumière du monde portée par le souffle du Pacifique. Haut dans le ciel, des albatros griffaient l'azur de la pointe de leurs ailes. L'homme aspira une grande bouffée d'air. Il avait plu tout le matin et l'atmosphère chargée d'humidité sentait l'humus auquel venaient se mêler les émanations salées de l'océan. Des odeurs de terre et de mer réunies dans un même ventre. Des odeurs de naissance, songea l'homme. Il sourit à la femme avant de refermer les dents sur sa douleur.

Au diable vauvert

Littérature française
Extrait du catalogue

Youssouf Amine Elalamy
Les Clandestins, roman
Thomas Gunzig
Mort d'un parfait bilingue, roman
Le Plus Petit Zoo du monde, nouvelles
Kuru, roman
Assortiment pour une vie meilleure, nouvelles
Manuel de survie à l'usage des incapables, roman
Et avec sa queue, il frappe ! théâtre
Borgia, comédie contemporaine, théâtre
La Stratégie du hors-jeu, théâtre
La Vie sauvage, roman
Nora Hamdi
Des poupées et des anges, roman
Plaqué or, roman
Grégoire Hervier
Scream Test, roman
Zen City, roman
Vintage, roman
Alex D. Jestaire
Tourville, roman
Contes du Soleil Noir :
Crash, roman
Arbre, roman
Invisible, roman
Audit, roman
Esclave, roman
Aïssa Lacheb
Plaidoyer pour les justes, roman
L'Éclatement, roman

Le Roman du souterrain, roman
Dans la vie, roman
Scènes de la vie carcérale, récit
Dieu en soit garde, roman
Choisissez !, essai
LOUIS LANHER
Microclimat, roman
Un pur roman, roman
Ma vie avec Louis Lanher, nouvelles
Trois jours à tuer, roman
Les féministes n'auront pas l'Alsace et la Lorraine, récit
TITIOU LECOQ
Les Morues, roman
La Théorie de la tartine, roman
ANTOINE MARTIN
La Cape de Mandrake, nouvelles
Le Chauffe-eau, épopée
Juin de culasse, odyssée
Conquistadores, sitcom
Produits carnés, nouvelles
ROMAIN MONNERY
Libre, seul et assoupi, roman
Le Saut du requin, roman
Un jeune homme superflu, roman
XAVIER DE MOULINS
Un coup à prendre, roman
Ce parfait ciel bleu, roman
AGATHE PARMENTIER
Pourquoi Tokyo ?, récit
Calme comme une bombe, roman

NICOLAS REY

Treize minutes, roman
Mémoire courte, roman
Un début prometteur, roman
Courir à trente ans, roman
Un léger passage à vide, roman
L'amour est déclaré, roman
La Beauté du geste, chroniques
La Femme de Rio, scénario
Les enfants qui mentent n'iront pas au paradis, roman

CÉLINE ROBINET

Vous avez le droit d'être de mauvaise humeur..., nouvelles
Faut-il croire les mimes sur parole ?, nouvelles

RÉGIS DE SÁ MOREIRA

Pas de temps à perdre, roman
Zéro tués, roman
Le Libraire, roman
Mari et femme, roman
La vie, roman
Comme dans un film, roman

CORALIE TRINH THI

Betty Monde, roman
La Voie Humide, autobiographie

CÉCILE VARGAFTIG

Fantômette se pacse, roman
Les Nouveaux Nouveaux Mystères de Paris, roman

STANISLAS WAILS

Deux, roman